식당 창업
절대로 하지 마라

창업 바이블
CHANGUP BIBLE

식당창업
절대로 하지 마라

유승용 이준혁 지음

어깨 위 망원경

책 제목을 무엇으로 정할까 고민을 하다 '식당 창업 절대로 하지 마라'라고 정한 이유가 크게 두 가지 있다. 첫 번째 이유는 대한민국에서 식당을 창업하는 것은 성공 확률이 너무나도 낮은 데 있다. 식당 창업을 하는 순간 폐업이 예정되어 있다고 해도 무방할 정도로 수요 대비 공급이 너무 많다. 특히나 소비자의 기대치가 높아 웬만한 만족을 주지 못하면 바로 발길을 돌려 버리기 일쑤다. 인구 60명당 식당이 하나꼴로 있는 나라가 전 세계 어디에 또 있을까. 현재 대한민국에서 식당을 창업하는 점주의 80%가 초보 창업자라고 한다. 그런 점주들이 철저한 경쟁 구조인 외식업 환경에서 지속 가능한 성공을 유지하기란 결코 쉽지 않다.

두 번째 이유는 초기 창업 비용과 고정 비용이 너무 많이 든다는 점이다. 30평 정도 규모의 식당이나 카페를 창업한다고 가정했을 때, 보증금, 권리금 등을 제외한 순수 시설 투자비만 약 1.2억 이상이 들어간다. 통상 우리나라에서 식당을 창업하고 폐업하는 기간이 3년 미만임을 고려하면 일부 식당을 제외하고 매달 400만 원 이상의 순이익을 내는 것은 어려운 일이다.

식당 운영에 절대적인 비용 요소인 인건비는 날로 증가하여 매출 대비 이미 30%를 넘어가며, 식재료비 또한 매출 대비 40%에 육박한다. 매출 대비 평균 12%를 상회하는 높은 임대료에 카드 수수료, 수도 광열비, 부가세, 소득세 등을 감안하면 장사가 잘된다는 가정에서도 월 이익이 10%를 넘기 쉽지 않다. 하루도 쉬지 않고 부부가 12시간 이상을 땀 흘리며 열심히 일해도 인건비 이상의 큰 수익을 낼 수가 없다.

또한 사스, 메르스, 코로나, 구제역 등 2, 3년 간격으로 외식 시장을 급격히 위축시키는 대형 악재들이 터지니 국내 60만 자영업자들은 살아갈 길이 막막한 게 사실이다.

필자들은 국내 정통 호텔 조리학과를 졸업하고 40여 년 이상을 특급 호텔 및 여러 외식 공간에서 전문 영역을 개척하고 경험한 조리 명인이다. 또한 호텔 경영학과를 졸업하고 서울하얏트호텔 웨이터 보조로 시작하여 외식 전문 경영인으로서 37년간 자영업주들의 자력을 돕고 있는 창업 컨설턴트이기도 하다. 이런 필자들이 의기투합하여 책을 출간하게 된 계기는 창업을 준비하고 있거나 이미 운영하고 있는 경영자들에게 조금이나마 도움이 되고자 하기 때문이다. 필자들 각자의 시각으로 다양한 실전 경험을 전수하고자 하며 더불어 폐업으로 인해 가정이 붕괴되는 것을 막고자 하는 절박한 마음을 이 책에 담았다.

『식당 창업 절대로 하지 마라』는 외식업의 여러 가지 본질을 깨닫고 실패하지 않는 외식 경영을 통해 역설적으로 망하지 않는 창업을 하면 좋겠다는 의미를 담은 것임을 밝히면서 국내 66만 외식인 모두가 웃을 수 있는 그런 날을 기대해 본다.

2023년 3월
유승용, 이준혁 拜上

목차
......

1. 주방장에만
의지하지 않는 식당이 답이다

　대한민국은 식당 천국이다. 전국적으로 66만 개의 식당이 영업을 하고 있으니 경제 활동 인구 대비 60명당 식당이 한 개꼴인 셈이다. 식당 창업 후 1년 생존율 59.5%, 5년 이내에 살아남을 확률 17.9%에 불과한 것이 별로 이상하지 않다.

　사업적으로 성공한 어느 외식 경영자가 국정감사장에 나와 국회의원들은 먹자골목과 골목상권을 구별하지 못한다며 질타하는 것을 보면서 외식 프랜차이즈 사업가가 골목상권을 살린다며 자영업자의 신이 되어 가는 것을 보고 아이러니를 느낀다.

　한마디로 대한민국은 식당 수가 너무 많다. TV만 틀면 소위 대박집이라고 난리를 치는 식당 중 그들만의 독특한 레시피와 뛰어난 맛을 자랑하는 맛집도 있겠지만, 외주 제작사에 일정한 비용을 주고 의뢰해 일단 맛집으로 소개된 후 바로 고객들로부터 외면당해 무너지는 식당도 부지기수다.

TV에 비친 성공만 보고 오늘도 아무 준비 없이 매년 18만 명이 매일 세무서에 들러 사업자 등록증을 발급받고 19만 명이 처절히 문을 닫는다. 한국에서 외식업으로 돈을 버는 사람은 간판, 인테리어, 중고 장비 처리 업체란 말이 나돌 정도다. 폐업의 후폭풍은 너무 커 가정이 붕괴하고, 급기야는 이혼하고 신용불량자가 되기도 한다.

외식업의 성공을 결정짓는 요인은 여러 가지다. 요약해서 말하면 Q(quality), S(service), C(concept)다. 좋은 품질의 재료로 독창적인 메뉴를 가장 맛있게 지속할 수 있게 만들어 내는 능력과 고객을 최우선으로 하는 변함없는 친절, 그리고 식당을 더 가치 있게 만드는 인테리어를 포함한 매장의 컨셉이 조화롭게 구성돼 있을 때 그 식당은 성공한다.

이 세 가지 중 어느 하나가 모자라면 고객이 지불하는 '가치 가격(value price)'은 떨어지고, 이런 것이 하나하나 쌓이다 보면 어느덧 고객은 썰물처럼 빠져나가 결국엔 폐업하는 것이다.

필자들은 지금껏 약 300여 개 이상의 식당, 카페 등을 컨설팅하고 오픈하면서 실로 다양한 점주들을 만나 보았다. 요리에 대한 경험이 풍부한 조리사부터 평생을 공무원으로 재직하다 퇴직한 어느 구청 직원, 부모님을 설득해 창업 자금을 얻어 독립한 청년 창업자, 커가는 아이들 학원비라도 벌겠다 싶어 부업 전선에 뛰어든 주부 창업자까지. 많은 분의 창업과 갱생을 지도하면서 외식업이 왜 이리 어려운지 알게 되었다. 소규모 자금이 들어가는 소자본 창업, 생계형 창업이 더 어려운 이유는 너무나도 외식 시장을 모르기 때문이다.

음식을 잘 개발하고 음식 맛을 유지할 수 있는 조리사 출신이 식당을 창업하면 성공해야 하는데 오히려 여러 가지 직업군 중 가장 빨리 망하는 이유는 무엇일까? 외식업은 고객이 마지막 지갑을 열고 계산할 때 느끼는 가치 가격에 의해 다시 이 집에 올 것인가 말 것인가를 결정한다. 조리사 출신은 음식을 만드는 데 들어가는 재료비에 대해 너무나도 잘 안다. 그리고 본인의 요리 실력이면 성공할 수 있다는 착각에 빠지기도 한다. 손님이 조금만 많아지면 욕심이 나 재료비를 바로 줄여 버리거나 본인이 좋아하는 요리에 빠져드는 이유이기도 하다.

외식업의 본질은 맛이 있어야 한다. 인테리어도 친절도 중요하지만 맛없는 식당엔 친형제도 가지 않는다. 맛을 유지하기 위해서는 좋은 재료를 써야 하는 게 기본. 이익이 눈에 밟히면 재료의 질을 자꾸만 떨어뜨린다. 또한 중요한 부분은 입지에 맞는 메뉴 구성을 잘해야 된다고 본다. 본인이 잘할 수 있는 메뉴 구성도 중요하지만 본인이 장사를 하고자 하는 장소, 즉 입지에 맞는 메뉴 구성과 맛, 서비스, 분위기, 표준 조리 방법이 매우 중요한 부분이기도 하다. 메인 조리장이 쉬는 날에 따라 맛이 달라지는 식당에 손님이 끊기는 건 당연하다.

내년도 최저 시급이 9,620원인데 불과 3년 전인 2020년엔 8,590원이었다. 물론 식당에서 일하는 종업원의 임금이 올라 많은 종업원들이 보다 나은 삶을 살아간다면 좋은 일이다. 그러나 식당 영업 특성상 아침 10시부터 저녁 10시까지 12시간 근무를 해야 하는데, 최저 시급과 법정 근로 시간을 적용해 아무 경험이 없는 주방 보조나 설거지하는 직원 연봉이 3,000만 원에 육박하게 된 것은 식당을 운영하는 자영업자에겐 치명적이다.

가뜩이나 식당 수가 너무나도 많아 영업이 되지 않는 상황에서 인건비가 매출에서 차지하는 비율이 40%를 넘어서는 현실에선 고용 조리사에 의존하는 구조로는 운영 자체가 안 된다. 매장에서 조리하는 메뉴는 맛의 표준화가 이뤄지지 않을뿐더러 과중한 인건비 부담으로 수익이 날 수가 없다. 또한 조리 기구의 과투자로 초기 투자비도 많을 수밖에 없다.

그렇다면 이러한 외식 업계 사정에서 성공적으로 자리를 잡으려면 어떻게 해야 할까? 많은 예가 있겠지만, 그중 하나를 소개하자면 양식 전문 셰프로 일해 온 후배가 몇 년 전 인사동에 창업한 만두 가게를 좋은 예로 들 수 있겠다. 약 30여 년간 조리 업계에 종사한 전문가인 후배는 조리사가 필요 없는 독특한 만두 가게를 기획해 오픈했다. 본인이 개발한 레시피를 가지고 위생이 완벽한 공장에서 생산한 만두를 인사동 매장에 보내고, 매장에서는 아무 조리 경험이 없는 판매 직원이 만두를 찌거나 튀기는 단순 기능만 수행하게 했다. 인사동 만두는 뛰어난 맛으로 당연히 오픈 몇 주 만에 손님들이 줄을 서는 등 인사동 맛집으로 유명세를 치렀다.

인사동 만두의 성공 요인은 찜기와 튀김기, 세정대, 냉장고 등 아주 기본적인 주방 설비만 갖추어 초기 투자비를 1,000만 원 미만으로 낮추어 소자본 창업으로 투자 리스크를 줄인 것과 고임금의 조리 인력이 필요 없는 무경험 판매직만으로 운영이 가능하게 만든 것이었다. 인건비를 대폭 줄여 운영 경쟁력을 확보하니 최상의 식재료로 좋은 품질의 만두를 제공할 수 있었고 고객들의 만족도가 높으니 입소문을 타고 매일 줄을 서는 매장이 될 수 있었다.

30여 년을 근무한 조리 전문가가 왜 조리사가 필요 없는 매장을 창업할 수밖에 없는가 하는 것은 인건비 중심의 현 국내 외식 시장에서 눈여겨볼 대목이다. 앞으로 식당으로 살아남을 길은 창업자 본인이 조리를 완벽하게 할 줄 알아 어떤 상황에서도 고객 응대가 가능한 실력을 갖추거나 아니면 아예 조리사가 필요 없는 메뉴 구성을 조화롭게 해 운영 경쟁력을 높이는 것이다.

2. 창업에 성공하려면
폐업 시나리오부터 써라

　오늘 아침에도 한 친구로부터 한 통의 전화를 받았다. 요즘 들어서는 거의 매일 오래된 지인으로부터 무거운 전화를 받는다. 통화 내용은 식당을 창업했는데 망해 가니 내가 아는 곳에 매각해 달라거나 아니면 살려달라는 것이다.

　숨이 넘어갈 지경이라 모른 척할 수도 없어 현장을 방문해 보면 이미 때가 늦은 경우가 허다하다. 원인을 알아야 처방이 가능해 몇 마디 물어보면 십중팔구 프랜차이즈 가맹점 계약을 맺고 창업을 해 오픈 첫 달부터 한 번도 이익을 내지 못하고 계속 적자만 보다 급기야 폐업을 목전에 뒀다는 대답이 돌아온다.

　한 번 등을 돌린 고객을 다시 돌아오게 하기란 쉽지 않다. 메뉴와 서비스를 개선하지 않고 어설픈 리모델링이나 컨설팅만으로 무너진 식당을 재건하기는 쉽지 않다. 이럴 거라면 처음부터 나한테 물어보고 창업하지 그랬냐는 말을 하고 싶었지만 절망에 빠진 친구에겐 의미 없는 말이라, 우선 무권리라도 빨리 가게를 처분해 더 이상의 손실금이 발생하지 않도록 조치했다.

평생 월급쟁이로 일하다 창업 시장에 나와 성공하기란 무척 어렵다. 창업하기 전 성공 시나리오를 꿈꾸기보다 폐업 시나리오부터 써야 한다. 현재 창업하고자 하는 업종이 경쟁력이 있는지, 향후 시장의 트렌드는 얼마나 갈 것인지, 투자 리스크는 무엇이 있는지, 상권 내 매장을 위협하는 요소는 어떤 것이 있는지, 지속 가능한 나만의 무기는 무엇인지, 기회는 무엇이고 위협 요인은 무엇인지 등 창업 이후 일어날 수 있는 모든 최악의 시나리오를 먼저 써야 한다. 그리고 그 폐업 시나리오별 항목 중 극복 가능한 것이 70% 이상 될 때 창업을 고려해야 한다.

누구나 실패를 생각하고 창업하지 않는다. 사업은 전쟁이며 생존하기 위해서는 넘어서야 할 지뢰밭이 곳곳에 널려 있다. 나아가야 할 목적지도 명확하지 않고 장애물이 무엇인지도 모르면서 머릿속으로 그저 잘되겠지 하는 막연한 기대감으로 창업을 하는 것은 무모한 일이다.

창업은 연습이 없다. 실패하면 그게 곧 무덤이 된다. 20~30대의 실패는 병가지상사라 한다지만 40~50대, 특히 실버 창업의 실패는 돌이킬 수가 없다. 중국에서 30년을 산 지인의 말이 떠오른다. 중국 최고 전문가는 자기처럼 중국서 산전수전 다 겪은 사람이 아닌 베이징 패키지 여행 3박 4일 다녀온 사람이라고.

젊은 시절 용인 에버랜드 식음 부장을 몇 년간 한 적이 있다. 부임하기 전 에버랜드 식음 부분 매출은 10년간 제자리 걸음이었다. 비 오는 날 에버랜드 입장객은 500명이 되지 않은 반면 어린이날엔 12만 명이 온다. 입장객수에 따른 인력 운영 시나리오가 없었고, 식음 업장 배치도 이뤄지지 않았다.

도쿄 디즈니랜드 입장객의 체재 시간은 평균 7시간 30분이나 에버랜드는 5시간 30분이었다. 체재 시간에 따라 식사 메뉴를 팔 것인지, 간식 메뉴를 팔 것인지가 결정된다. 체재 시간이 짧은 에버랜드는 당연히 객단가가 높은 식사 메뉴 중심 식당 배치가 우선되어야 했지만 2,000원짜리 버터구이 오징어만 깔려 있어 식음 부분 매출이 항상 그대로였다.

또한 27도 전후에서 아이스크림이 많이 팔리고 30도가 넘어서면 스노우 아이스가 많이 팔리는데도 10년 전의 가판매장을 그대로 배치해 매출을 높일 기회를 놓치고 있었다. 이런 조사를 거친 이후 이용 고객 연령별, 이용 패턴별로 식음 업장을 재배치했다. 이용객 동선을 예측하고 소화 속도와 온도 등을 고려해 가판매장도 재배치 했더니 매출이 그 전년 대비 30% 이상 늘었다.

모든 것을 예측할 수는 없다. 경영학에서 얘기하는 통제 불가능한 변수가 존재하지만 그것을 뛰어넘는 '시나리오 경영'을 해야 한다. 글로벌 기업을 운영하든, 5평 내외 작은 매장을 운영하든 사업을 시작하기 전에는 반드시 폐업 시나리오부터 쓰라고 얘기하고 싶다. 아이도 임신하지 않았는데 아직 태어나지도 않은 아이를 세계적인 석학으로 만드는 꿈을 꾸면 본인뿐 아니라 모두가 불행해진다.

국내 굴지의 외식 전문 기업인 C사가 중국 베이징 서우두 국제공항 내 엄청난 비용을 들여 한식당을 오픈했는데도 1년을 못 버티고 폐점한 사례는 시사하는 바가 크다. 명함의 무게로 사업을 하면 안 되는 좋은 사례다. 대기업의 명함이 중요한 게 아니라 누가 그 기업에 근무하고 있는가가 중요하다. 성공하고 싶으면 폐업 시나리오부터 써라.

3. 프랜차이즈 가맹을 하려면
가맹 본사의 시스템부터 확인하라

프랜차이즈 브랜드를 하게 된다면 가맹 점주는 가맹 본사에 신뢰와 믿음을 가지고 서로 협력하며 장사를 해야 한다. 초보, 예비 가맹주들에게 필자는 이 얘기를 꼭 해 주고 싶다. 혹시 프랜차이즈 본사를 방문해서 상담을 하게 되는 경우 프랜차이즈 본사 외형, 프랜차이즈 본사 인테리어만 보고 결정하지 말고, 프랜차이즈 본사 운영 시스템을 확인하라고 말이다.

외식업 경험이 없는 초보 창업자들 대다수가 프랜차이즈 문을 두드리게 되어 있다. 수많은 프랜차이즈 가맹 본사들은 최선을 다해서 가맹 점주들을 관리해 주고 있지만 간혹 그렇지 않은 가맹 본사들도 있다. 가맹 계약서를 쓰기 전과 후가 다른 가맹 본사들도 많다.

지금도 그렇지만 앞으로 더욱 초보 창업자들은 프랜차이즈 가맹을 하지 않고는 사업하기가 점점 어려워질 수 있다고 본다.

프랜차이즈 가맹 본사를 방문했을 때, 초보 예비 가맹 점주들이 신경 써서 봐야 할 몇 가지를 알려드리고자 한다.

첫 번째, 가맹 본사의 연혁을 확인하라!

지금 운영하고 있는 브랜드 외에 그전에 어떠한 브랜드를 가지고 가맹 사업을 하였는가, 가맹 현황이 어떠한가 등을 반드시 확인하여야 한다.

두 번째, 가맹 본사의 조직 현황을 확인해라!

가맹 계약 체결 후 점포 사후 관리를 체계적으로 해줄 수 있게끔 직원 구성이 되어 있는지, 본사 직원들의 업무 분장이 잘되어 있는지 확인해야 한다.

세 번째, 가맹 본사에 메뉴 관련 전문 지식을 가지고 있는 직원이 있는지 확인해라!

주기적인 메뉴 변화와 계절별 메뉴의 변화를 줄 수 있는 능력과 조직을 가지고 있는 가맹 본사인지 확인해야 된다.

네 번째, 가맹 본사 물류 공급 시스템을 꼭 확인해라!

본사에 자체 센트럴 키친(중앙 공급식 주방)을 가지고 운영하고 있는지, 모든 제품을 자체 본사에서 만들어 공급할 수는 없지만, 중요시되는 시그니처 메뉴가 본사만의 노하우를 가지고 생산 공급하는 것인지, 모든 것을 기성품으로 구입해서 공급하고 있는지(메뉴에 따라 바뀔 수 있음) 확인할 필요가 있다. 그래야 동종 업종과 차별화된 매장을 운영할 수 있다.

대다수의 가맹 본사들은 가맹 점포의 장사가 잘될 수 있도록 최선을 다해서 관리를 잘해 주고 있지만 간혹 그렇지 못한 가맹 본사들이 있다. 위의 네 가지 내용들은 가맹 상담 시 반드시 확인하는 게 좋다.

이야기를 덧붙이자면 가맹 본사에서는 체계적으로나 조직적으로 가맹 점포를 잘 관리해 주는데, 역으로 가맹 점주가 가맹 본사 지시(규정)에 따르지 않아 장사에 안 좋은 결과를 맞이하는 점포들도 많이 있다. 어떠한 가맹 점주는 처음에는 가맹 본사의 지시에 잘 따르다가 어느 정도 경험이 쌓이면 가맹 본사의 지시(규정)에 따르지 않는 점주들도 많다.

가맹 점주는 왜 처음에는 본사 지시(규정)에 잘 따르다가 어느 정도 시간이 흐르면 개별적인 행동을 하게 될까? 가맹 점주들의 이유를 들어보면 다음과 같다.

① 가맹 점주가 어느 정도 경험이 쌓이게 되면 본사의 운영 방침을 잘 따르지 않거나, 점주의 입맛대로 조리 레시피를 살짝 바꿔서 조리하는 경우도 생긴다.

② 가맹 점주가 운영하는 점포 직원들이 '본사 물건이 비싸다', '맛이 없다', '질이 안 좋다', '본인들이 만들면 더 싸고 맛있게 만들 수 있다' 등 직원들의 말에 휩쓸릴 수 있으며, 그 직원이 그만두었을 때는 어떻게 할 것인가를 생각해야 된다.

③ 가맹 점주와 가까운 친구, 지인, 식구들로부터 "어디 갔더니 이렇게, 어디서는 저렇게 하더라" 등과 같은 얘기에 휩싸인 가맹점들이 안 좋은 결과를 내는 걸 많이 보았다.

안전하고 성공 확률이 높기 때문에 프랜차이즈를 선택한 만큼 본사의 지시(규정)에 잘 따르고 매장에 적용한다면 좀 더 높은 매출과 함께 성공 창업에 도달할 것이다.

4. 많이 남기려다 일찍 망한다

식음 사업은 호텔, 외식, 테마파크, 단체 급식, 프랜차이즈 등 다섯 개 분야로 나뉜다. 각 사업 형태의 특성에 따라 경영도 다른 특징을 지닌다. 호텔 식음은 가격보다는 품질 중심의 메뉴를 제공해야 하므로 고급 인력 확보와 교육에 의존한다.

반면 테마파크 식음은 순식간에 많은 고객에게 음식을 제공해야 하므로 동선과 빠른 서비스가 가능한 메뉴 구성이 관건이다. 한국에 있는 테마파크들의 경우, 5시간 정도로 체재 시간이 짧기 때문에 고객이 테마파크에 머무는 동안 최대한 객단가가 높은 식사 메뉴와 회전율이 높은 간식 사이의 이질성을 잘 파악해 이용률과 객단가를 동시에 잡는 고도의 경영 기술을 필요로 한다.

단체 급식은 한마디로 위생 산업이자 시스템 산업이다. 적게는 100여 명에서 많게는 수만 명이 같은 메뉴를 같은 시간에 먹는 구조이다 보니 위생과 시스템이 잘 갖추어지지 않으면 식중독으로 인한 위급 상황을 맞기도 한다. 또 상대적으로 객단가가 낮아 이윤을 추구하는 운영 업체 입장에서 보면 어떤 식음 사업보다 완벽한 시스템과 예측 경영이 필요하다. 이런 단체 급식의 위험성과 어려움 때문에 미국은 메리어트 호텔 등 특급 호텔이 단체 급식의 리딩 기업으로 자리매김하고 있다.

외식과 프랜차이즈 사업은 불특정 다수를 대상으로 60만 개가 넘는 과잉 공급 시장 속에서 살아남아야 하는 구조로 인해 가장 어려운 정글 속에 놓여 있다고 해도 과언이 아니다. TV만 틀면 나오는 대박집 신화는 18만 개 이상이 매년 망해 가는 현실에서 보면 그저 신기루일 뿐이다. 그 이유는 높은 임대료와 경제 활동 인구 60명당 한 곳의 식당이 있을 만큼, 과잉 공급이 가장 큰 요인이다. 이 밖에 대기업의 무분별한 외식업 진출, 일부 프랜차이즈 업계의 도를 넘은 이익 실현, 최저 시급 상승으로 인한 경영 악화, 점주의 운영 능력 저하 등 여러 가지 복합적 요소가 결합한 결과다.

요즘 칼럼을 쓰다 보니 많은 문의와 전화를 받는다. 문을 닫아야 하는 영세 식당 주인들이 마지막으로 지푸라기라도 잡는 심정으로 전화를 주는 경우가 대부분이다. 반면 이제 퇴직해 무언가 새롭게 시작하려는 사람도 있다. 이런 분들은 상담을 통해 필자가 경쟁력 있는 브랜드나 아이템을 추천하면 어김없이 식재료비가 몇 퍼센트인지부터 먼저 묻는다. 그다음이 예상 이익률이다.

외식 프랜차이즈 업체 홈페이지를 들어가 보면 대부분 식재료비를 30~35%로 기재해 놓고 있다. 제공하는 메뉴 자체의 가치가 최우선으로 고려되어야 하는데, 식재료비를 낮춰야 예비 점주의 선택을 받을 수 있으니 그 부분만 강조하는 것이다.

외식업의 원가 구성은 인건비, 식재료비, 임대료, 수도 광열비, 판매 관리비, 세금 등으로 나뉜다. 이 중에서 가장 큰 비중을 차지하는 것이 인건비와 식재료비 구성이다. 통상 식재료비 35%, 인건비 25%를 가장 바람직한 원가 구성비라 얘기하는데 이는 잘못된 방식이다. 맛은 기본으로 하고 서비스 동선, 시설 배치, 운영 방식 개선 등 시스템적으로 잘 연구해 식재료비 40%, 인건비 20% 구조로 만든다면 더 많은 고객 만족을 끌어낼 수 있다.

식재료비와 인건비를 분리하지 말고 매출 대비 프라임 코스트(인건비, 식재료비)를 하나의 목표를 설정해 전체 프라임 코스트는 60%로 맞추되, 식재료비 비중을 높여 고객 만족을 끌어내는 전략이 필요하다. 7,000원짜리 김치찌개를 먹는데 재료비가 2,450원짜리인 찌개보다 2,800원짜리 찌개가 더 잘 팔리지 않겠는가?

많이 남겨야 한다는 생각을 하면 할수록 고객으로부터 외면당한다. 원가는 운영자 입장에서 정하는 게 아니라 고객의 평가로부터 설정되는 것이다. 원가를 잘 아는 조리사 출신이나 회계 부서 퇴직 점주가 더 빨리 무너지는 것도 이러한 원가에 대한 인식 차이가 한 원인일 수도 있다.

특급 호텔을 경영하는 오너의 전화도 가끔 받는다. 처음에는 앞서 언급한 영세 상인들과는 달리 나름 전문가 집단을 이루고 조직과 자금도 탄탄히 갖춘 그들이 왜 전화해 구조를 요청하는지 의아했다. 얘기를 들어보면 몇 년째 운영 중인 호텔 내 식당들이 적자를 면하기 어려워 컨설팅을 의뢰한 경우였다.

필자는 앞서 여러 칼럼과 강의 등에서 앞으로 호텔의 경쟁자는 편의점과 가정 대용식 식품(HMR)이 될 것이라고 얘기한 바 있다. 한식, 일식, 중식, 양식, 뷔페라는 전통적 호텔 내 식음 구조로는 가성비를 추구하고 일인 가구가 증가하는 현 상황에선 살아남기가 힘들다.

특2급 호텔이 운영하는 뷔페 레스토랑은 85,000원, 특1급 호텔은 115,000원 내외의 가격을 어김없이 책정하고 고객을 맞이한다. 호텔이 받고 싶은 가격을 책정하기보다 고객이 만족하는 '가치 가격'으로 승부를 겨뤄야 하는데, 메뉴 구성 대비 과연 그 가격으로 성장할 수 있겠는가?

'재료비 35%, 인건비 25%, 식재료비가 몇 퍼센트', '이익률 몇 퍼센트'와 같은 생각은 제발 버리길 당부 드린다. 내가 만든 음식에 고객이 얼마나 만족하는지, 이익률이 아닌 이익금을 얼마 남겼는지에 초점을 맞춘 경영을 해야 한다. 퍼주면 퍼줄수록 흥한다.

5. 대기업 근무 30년 퇴직자,
음식점 차렸다가 2억 날린 사연

공정거래 위원회 가맹 희망 플러스(www.franchise. ftc.go.kr)를 검색해 보면 국내 프랜차이즈 본사 수는 외식이 3,630개, 서비스업이 965개, 도·소매업이 300개 등 총 4,895개가 있다. 이중 외식 업종이 74%로 단연 1위를 차지하며 프랜차이즈 본사가 보유한 브랜드 수만도 4,566개다. 본사 당 1~2개의 브랜드를 가지고 있는 셈이다. 이 중 가맹점은 116,378개로 본사에 소속된 가맹점은 32개이며 직영점 수는 6,000개다.

전체로 보면 직영점 운영 비율은 5%에 지나지 않는다. 겨우 5%의 직영점을 운영해 본 노하우를 갖고 95%의 가맹점을 지도한다는 것인데, 얼마나 무모한 일인가. 가맹 점주 입장에선 리스크가 높을 수밖에 없다.

외식 프랜차이즈 산업을 기준으로 가맹점당 매출을 보면 편의점이 월평균 3,200만 원(평균 매장 규모 20평), 제과제빵 1,800만 원(평균 18평), 커피점 1,600만 원(평

균 8평), 치킨점 월평균 1,400만 원(평균 9평)으로 나타
났다. 10만 개가 넘는 외식 프랜차이즈 업장의 평균 매출
이 월 2,000만 원을 넘지 않는 것을 알 수 있다. 여기에
높은 임대료와 치솟는 인건비, 식재료 구매가를 고려하면
창업이 얼마나 힘든가를 짐작할 수 있다.

통계청의 기업생멸행정통계에 따르면 대한민국에서
식당이 생존할 확률은 17.9%다. 그런데도 사람들은 퇴직
하거나 취직이 안 되면 제일 먼저 떠올리는 게 식당 창업
이다. 식당업은 다른 자영업과 달리 엄청난 다경쟁 구조
이면서 노동 집약적 산업이라 웬만한 프로도 창업했다가
접는 경우가 허다하다.

그런데도 왜 사람들은 계속해서 식당 창업의 문을 두드
리는 것일까? TV 방송만 틀면 나오는 먹방이나 맛집 소개
프로에 비치는 대박집의 유혹, 그리고 어느 집이든 맛에
관한 한 최고의 숨은 고수들이 있기 때문에 그들을 믿고
진입 장벽이 낮은 식당을 개업하는 경우가 부지기수이다.

창업 시장은 과학의 논리가 지배하는 곳은 아니다. 전
문가들이 경고하고 정부 통계청이 발표하는 업종별, 브
랜드별 폐업률, 생존율 등의 데이터가 끔찍한데도 그들의
도전을 막아내지 못한다. 필자는 이러한 실패를 최소화하

고자 하는 마음에 창업을 하고 망하기까지 전 과정을 기행문 형식으로 기술해 보았다. 다음 소개하는 이야기의 주인공은 가상의 인물로 설정했다. 그가 겪은 개·폐업 과정을 누구나 경험하거나 체험할 수 있기에 아래 이야기를 통해 많은 분들이 도움이 얻었으면 한다.

김 부장은 일본에서 전문대학을 졸업하고 국내 최대 재벌 그룹의 일본 전문 인력으로 채용돼 약 30여 년간 직장 생활을 하고 있었다. 전문대를 졸업하고 나이가 53세이지만 주변 및 직장에서 인정받으며 안정적인 연봉을 받는다. 하지만 회사가 구조 조정에 들어갔고, 머지않아 그 칼끝이 본인을 향할 것을 직감적으로 느낀 그는 틈만 나면 외식 창업 업체의 사이트에 들어가 분석했다.

많은 직종 중 외식 창업을 고려한 것은 일본 유학 중 외식업을 가업으로 생각하고 혼신을 다해 작은 가게를 운영하던 일본인 친구 부모님 영향이 컸고, 무엇보다 자기가 좋아하는 일을 하고 싶은 이유에서였다. 퇴직금과 그동안 모아두었던 자금을 대충 계산하니 4억 원 남짓 됐다. 하지만 아직 대학에 다니는 두 아이의 학자금과 그 아이들의 결혼 자금, 또 기본적인 노후 자금을 고려하면 총 투자비가 2억 원을 넘으면 곤란하다는 결론에 이르렀다.

2억 원의 자금으로 외식 창업을 하려고 생각하니 유동 인구가 많은 대로변 가게는 권리금만 2억 원이라기에 포기해야 했다. 이면 도로(생활 도로) 근처 20평 규모의 매장을 택해 수익 구조가 높고 안정적인 유명 브랜드를 조사해 보았다. 독자 창업을 하기엔 외식업의 초보인 입장에서 겁이 나고, 프랜차이즈 가맹점이 되면 본사의 지원을 받을 수 있으니 리스크가 덜하지 않겠느냐는 생각에 소자본 가맹 본사를 집중적으로 조사했다.

이런 조사 과정을 6개월 정도 하다 보니 "역시 나의 기획력은 살아 있어" 하며 자신감도 붙고 지금 창업해도 성공할 수 있겠다는 믿음이 생겼다. 그리고 얼마 안 가 예상했던 대로 회사에서 권고사직을 당했다. 아무 준비도 안 한 채 등 떠밀려 나오는 동료들의 불안한 얼굴을 보며 그는 자신 있게 회사를 나왔다.

치킨점과 커피점은 너무 많아 경쟁할 자신이 없고, 빵집과 아이스크림점은 투자비가 많이 들어 아예 검토 대상에서 제외했다. 삼겹살, 찌갯집 등 한식당은 조리할 자신도 없을뿐더러 그래도 대기업 부장까지 한 본인의 모양새에 어울리지 않는다는 생각이 들었다. 결국 일본식 선술집인 이자카야 프랜차이즈가 눈에 들어와 이를 창업하기로 했다. 창업 비용도 상대적으로 적게 들고 주류를 팔기 때문에 식재료비도 25% 선이었다. 무엇보다 운영 이익이 30%가 넘었다.

여러 업체 중 매장 수도 많고 디자인도 훌륭해 SNS 평가가 좋은 A 업체의 창업 설명회를 찾아갔고, 상담을 받던 중 이 팀장이라는 영업 사원을 소개받았다. 서글서글하며 싹싹한 성격의 이 팀장은 10년 넘게 외식 시장에서 근무한 베테랑이라며 자기를 소개했고 자기를 만난 건 행운이라고 김 부장을 안심시켰다. 본사가 직영하는 매장도 가보고 물류 공장, 연구·개발(R&D) 연구소, 본사까지 방문하고 20평 규모의 가맹점 매장도 찾아가 봤다.

가는 곳마다 영업은 잘됐고 운영 체계도 안정적이라 안심이 됐다. 홈페이지와 창업 설명회 자료에 나와 있듯 식재료비는 25%이며 운영 이익이 30%라 월평균 매출 4,000만 원에 순이익이 1,200만 원이 예상된다는 설명을 들을 땐 당장 계약을 하고 싶은 생각이 들 정도였다. 무엇보다 본사에서 3,000만 원의 무이자 주류대출을 알선해 주어 더욱 마음에 들었다.

아직 때가 이르니 좀 더 생각해 보자며 아내가 잔소리할 때는 대기업에서 30년 이상 경험한 자신의 치밀함을 모르냐며 윽박질렀다. 드디어 본사와 계약을 하고 유동 인구가 좀 적지만 오피스가 많은 이면도로 골목에 20평 규모의 이자카야를 창업했다. 본사에서 1주간의 조리 교육도 받고 본사에서 소개해 준 주방장을 채용했다. 초기 인건비를 아끼려고 주방과 홀은 자기가 뛰며 최소한의 알바생을 고용해 운영하기로 했다.

오픈 2주를 앞두고 직장 선후배와 동료, 친척들에게까지 매장 오픈 소식을 알렸다. 전단 12만 장을 3번에 걸쳐 주위에 모두 배포하고 오픈 당일엔 매장 앞에 홍보 도우미도 배치했다. 만반의 준비를 끝냈으니 이제 손님만 맞이하면 된다는 생각이 들었다. 평생 가정주부만 한 아내도 홀을 돕는다며 가게에 나왔다.

오픈 시간이 되자 일본 라멘도 같이 파는 매장 입구 메뉴를 보고 주변 직장인들이 몰려들었다. 2주 전부터 돌린 매장 오픈 소식을 듣고 지인들도 방문하다 보니 40여 좌석이 순식간에 만석이 되었다. 그러나 행복한 순간이 무너지는 건 채 5분이 걸리지 않았다.

오픈 당일에는 메뉴를 한정해 주문을 받아야 하는데 가게를 운영해 본 경험이 없어 전 메뉴를 받다 보니 주방장 혼자서 조리를 해내지 못했다. 1주일 교육을 받을 때는 뭐든지 해낼 수 있을 자신이 있었는데 막상 전쟁이 시작되니 아무것도 할 수 없게 되었다. 삽시간에 아수라장이 되고 "다시는 이 집에 오지 않는다"며 손님들이 욕을 하며 나갔다.

본사에서 소개해 채용한 주방장도 보름 만에 나가 버리고, 오픈 6개월까지는 본사에서 책임지겠다던 이 팀장은 본사와 용역 계약한 영업 사원일 뿐이었다. 인력 안정이 안 되니 맛이 들쭉날쭉하고 한 번 악소문이 난 가게는 채 한 달이 가기 전에 손님이 끊겼다. 25%라던 식재료비는 45%가 넘어설 만큼 본사의 물류 이익은 과다해 수익 자체가 나지 않았다. 또 오픈 초기에 본사 운영팀에서 요구해 1,000만 원 이상 구매한 식자재는 재고로 남아 전부 빚이 되었다.

김 부장은 자신을 안심시키기 위해 이 팀장이 계획적으로 안내하던 매장만 방문한 것이 후회됐다. 본인이 무작위로 가맹점을 방문해 운영에 대한 본사의 지원, 책임감, 운영 경쟁력, 재료비 비중, 순이익 등 운영 전반에 대해 체크를 해야 했다. 운영 안정이 안 된 개업 초기엔 홍보도 하지 말아야 한다는 기본조차도 몰랐다.

초도 식자재는 월 예상 매출액의 5%를 초과해 주문해

서는 안 된다는 점, 무엇보다 점주 자신이 전 메뉴를 자신 있게 조리해 낼 때까진 오픈을 미뤄야 한다는 점 등은 6개월 만에 폐업하고 깨달은 식당 운영의 중요한 요소였다. 나에게 편한 길은 남에게도 편하디는 사실은 퇴직 후 시작한 첫 사업이 남긴 교훈이었다. 이후 그는 두 번째 창업을 준비하고 있는 지금, 성공 스토리보다 폐업 시나리오를 먼저 쓰고 있다.

6. 돼지고기 모르는데
삼겹살 식당 차리는 무데뽀 정신

　식당 창업의 문턱이 너무 낮다 보니 퇴직을 하면 제일 먼저 떠올리는 게 '식당이나 할까'다. 1년에 18만 개의 식당이 문을 닫는다고 해도 자영업을 선택하는 대부분의 사람은 식당 창업을 먼저 생각한다. 별 기술이 없어도 주방장만 잘 고용하거나 집안에 맛의 달인들은 꼭 한두 사람씩 존재하기에 매일 TV만 틀면 줄 서는 맛집 신화의 주인공이 될 수 있다는 착각에 빠진다.

　식당은 아주 섬세하고 민감한 경영 기술이 요구되는 공간이다. 눈만 돌리면 반경 100m 이내에도 수십 개의 동종 식당들이 존재하고, 고객의 입맛은 너무 까다로워 웬만히 맛있게 하지 않으면 금방 등을 돌리고 악소문이 난다. 무엇보다 사람 관리하는 게 너무 힘들어 오죽하면 식당업을 막장에 비유하는 사람도 있다.

　최저 시급제의 영향으로 인건비는 오르고 그마저도 험한 일을 하지 않으려는 구직자들로 인해 온종일 현장에서 서서 일하는 식당에 취직하려는 사람 자체를 구하기도 힘들다. 아무리 잘해 줘도 조금만 심사가 틀리면 의리고 뭐고 없이 당장 그만둬 버린다. 새로운 주방장을 구하는 데 시간이 걸리니 어깨너머로 배운 솜씨로 음식을 만들어 내어놓으면 맛이 변했네 어쩌네 하며 손님이 뚝 끊긴다.

프랜차이즈 창업이 아니면 스스로 발품을 팔아 모든 걸 준비하고 오픈해야 하는데, 전문성이 있어도 성공하는 식당을 만드는 게 힘들다. 평생을 다른 일에 종사하다 창업하면 살얼음판을 건너는 기분으로 매일 매일을 힘겹게 운영해야 하는 게 현실이다. 은행에서 30년을 근무하다 최근에 명예 퇴직한 박 사장의 스토리는 하나의 성공 사례라 소개한다.

박 사장은 퇴직하기 몇 개월 전부터 틈틈이 서점에 들러 식당 창업 관련 서적을 사 읽으면서 식당업의 본질에 대해 공부했다. 창업 절차, 점포 구하는 법, 상권 보는 법, 식재료 구매 및 재고 관리 노하우, 운영 원가 산출하는 법, SNS를 비롯한 신마케팅 전략, 적정 매출 대비 인력 투입 기준 등 식당 운영과 관련된 전문 서적을 읽다 보니 어느 정도 이들의 공통분모가 존재한다는 것을 깨달았다.

권리금이 싸고 임대료가 저렴한 점포를 최우선으로 고려해 점포를 보는 것이 아니라 주 5일 상권인지, 주 7일 상권인지, 경쟁자 혹은 향후 경쟁자가 될 상대는 상권 내 얼마나 존재하는지, 유동 인구는 많게 보이지만 그냥 흘러가는 유속이 빠른 상권인지 머무는 상권인지, 상권 내 점심, 저녁의 주이용 고객은 누구인지, 지불 가능한 희망 객단가는 얼마인지, 점포의 향이 북향인지 남향인지(향에 따라 점포 내부가 안 보이기 때문에 통상 식당은 가정집과 달리 남향보다 북향이 좋다) 점포가 도로와 평형인지, 낮은지 높은지 등 점포를 구하는 데 필요한 여러 가지 점검 요소가 전부 책 속에 있어 큰 도움을 받았다.

이후 박 사장은 돼지고기로 점심과 저녁 메뉴 구성을 할 수 있는 삼겹살&찌개 전문점으로 업종을 선택했다. 서울에서 유명한 제주 흑돈 삼겹살 전문점 설거지 직원으로 취직해 밑바닥부터 조리 업무를 어깨너머로 배울 기회를 얻었다.

평생 은행원으로 근무해 조리에 대한 기술이 없었지만, 창업을 결심한 이상 조리를 할 줄 알아야 한다는 글을 책에서 읽었던 터라 주방에서 가장 험한 직종이면서 무경험자도 취직이 잘되는 설거지로 취업했다. 반년이 지나자 돼지고기 손질하는 법, 찌개 끓이는 법, 반찬 구성하는 법 등을 주방장과 찬모로부터 조금씩 배워 조리 과정의 기본 기술과 흐름은 알게 되었다.

무엇보다 원재료인 좋은 돼지고기의 유통 과정을 알 수 있게 된 게 가장 큰 수확이었다. 기술도 좋고 품성도 갖춘 몇몇 조리사와의 인맥을 쌓게 된 것도 가게 오픈을 할 때 큰 힘이 되었다. 점포를 구하는 것도 중요한 일이라 쉬는 날을 이용해 집에서 가장 가까운 거리에 위치한 상권을 정하고 집중적으로 점포 구하는 데 시간을 할애했다. 집에서 가까우면 한 번이라도 더 가게를 들릴 수 있고 관리하는 게 용이해 집에서 멀지 않은 곳 위주로 후보 상가를 찾았다.

또 제일 중요한 점포 구하는 일을 무턱대고 부동산 중개소에 전부 맡기지 않았다. 창업하고 싶은 지역을 지정해 주중과 주말, 점심과 저녁을 나누어 최소 한 달 이상 상권을 관찰하고 후보 점포를 선정했다. 상권 내 후보 점포에 대한 SWOT(강점과 약점, 기회 및 위협 요인) 분석을 면밀히 했다.

후보 점포를 추려 몇 번에 걸쳐 식사하면서 대략적 손님 추이를 관찰했다. 그런 과정을 통해 권리금은 8,000

만 원이 붙어 있으나 최근에 시설을 해서 추가 공사비를 절감시킬 수 있는 점포를 찾았다.

40평 규모라 직장인이 많은 상권에서 일정한 규모를 갖추고 있어야 하는 부분을 충족했고, 배후에 3,000세대 이상 아파트도 있어 직장인만 보며 영업하는 주 5일 상권에 비해 영업 일수도 어느 정도 보장이 된 곳이었다. 반경 1㎞로 이내 유사한 조건에 있는 상가들의 평균적인 권리금과 임대료를 조사해 직접 주인과 기존 세입자를 만나 권리금과 임대 조건 조정해 계약을 체결했다.

음식점의 성공은 맛, 서비스, 위생이라는 3가지 기본 요소를 얼마나 지속해서 잘 지켜나가는 것인가를 알기에 직원들에게 이 부분에 대한 자신의 생각을 집중적으로 공유했다. 일정 목표액을 초과한 이익분에 한 해 이익금을 공유하는 인센티브 제도를 시행해 주인 의식을 갖게 했다. 메뉴는 점심은 보다 빠르게 음식이 나가야 하는 특성을 고려해 생돼지 김치찌개 하나만 판매하고 손님들이 김과 계란 프라이를 무한대로 리필해 먹을 수 있는 코너를 마련하기도 했다.

매장 초기 홍보도 중요해 점심을 먹은 고객에게 저녁 이용 시 삼겹살 200g 무료 시식권을 지급했는데 실제로 많은 점심 고객이 이 쿠폰을 들고 재방문해 초기 매장 운영 안정화에 큰 도움이 되었다.

저녁엔 제주 흑돼지 목살을 3㎝ 이상 두껍게 썰어 제공하면서 직원들이 친절하게 일일이 굽게 교육했다. 박 사장 본인도 직접 홀을 돌아다니며 단골에게 인사하고 모자라는 찬을 미리미리 채우는 한발 앞선 서비스를 생활화했다.

반찬의 구성도 가짓수만 많은 것이 아닌 울릉도 농협에서 직접 구매한 명이나물과 고급 일식집에서만 나가는 생와사비, 몸에 좋은 구운 함초 소금, 매일매일 매장서 담그는 겉절이 등 작은 부분 하나에도 세심한 노력을 기울여 건강한 음식점이란 이미지를 고객에게 심어 주었다.

무엇보다 주인이 매일 매장에 나와 음식을 준비하고 친절한 서비스를 몸소 실천하니 인력 안정화가 이루어져 안심하고 장사를 할 수 있었다. 당연히 식자재 발주도 주인이 직접 했다. 필요하면 농수산물 센터에서 직구매하니 재료도 신선할뿐더러 매월 매출 대비 식자재 재고율이 5%를 초과하지 않아 절감한 구매 식재료비를 고스란히 고객에게 더 제공할 수 있었다. 고객의 만족은 높아지고 만족을 경험한 고객이 다른 고객을 데려오는 과정이 반복적으로 이뤄졌다.

처음 직원들에게 약속한 인센티브 지급을 반드시 지켰고 알바생으로 들어와 1년을 같이 고생한 직원이 군에 입대할 때는 제대할 때까지 매월 50만 원의 용돈 지급을 약속해 지금도 지키고 있다. 열심히 일한 직원에 대한 작은 배려였지만 이 모습을 본 다른 직원이 더 열심히 일하는 것은 당연한 결과였다.

주인이라고 권위를 내세우지 않고 똑같이 열심히 뛰고 이익을 공유했다. 주방 설거지부터 시작해 조리 기술을 익히고 식재료 발주에서부터 재고 관리, 유통 전 과정을 익혀 절감된 재료비를 고객에게 다시 돌려주었다.

박 사장은 이후 장사가 잘되어 직영점만 십여 개에 가맹점이 백 개가 넘는 성공한 프랜차이즈 오너가 되었다. 직영점 점주는 박 사장과 함께한 직원 중 우수하고 열심히 일한 직원 중에 선발했고, 지금도 그들과 성공의 선순환을 함께 누리고 있다.

스스로 직접 걸어가지 않고 산 정상에 설 수 없다. 성공하고 싶으면 현장 속으로 직접 뛰어들어야 한다. 돼지고기를 모르면서 돼지고기 전문점 사장이 되려 한다면 돼지도 웃는다.

7. 은행장한테 폭행당한 캐디, 그 골프장이 명문으로 뜬 이유는?

　한국은 자영업의 무덤이라고 할 만큼 자영업이 차지하는 비율이 세계 어느 나라보다도 높고 그만큼 경쟁도 치열하다. 시장을 선점할 경쟁력 있는 아이디어도 중요하지만, 업종을 막론하고 직원 개개인의 역량과 마음가짐이 기업 혹은 점포의 운명을 결정짓는다 해도 과언이 아니다.

　자영업을 해보면 많은 시련에 부딪힌다. 언제 오를지 모르는 임대료, 치솟는 물가, 경쟁 업소와 고객 쟁탈전, 무엇보다 종업원 개개인의 높은 이직률 등 무수히 많은 어려움에 봉착하게 된다. 그중에서도 음식을 책임지는 주방 직원의 도덕성 결여와 불성실성은 가게를 아예 문 닫게 한다.

　주인이 주방을 전혀 모를 경우 그 폐해는 더욱 심각하다. 1년이 지나도 줄지 않는 고가의 식자재, 창고에 쌓여 있는 그릇은 물론이고 주방장 컨디션에 따라 음식 맛도

들쑥날쑥하다. 고객의 불만은 하늘을 찌르고, 결국 이런 현상들이 반복되면 가게는 저절로 폐업하게 된다.

음식업을 하면 창업자 본인이 주방을 알아야 하며, 의류업을 하면 본인이 의류 유통과 의류업에 대해 잘 알고 어떤 상황도 컨트롤할 수 있어야 한다. 또 사장이 일이 생겨 매장을 비워도 자신과 똑같은 마음가짐으로 업무를 대행할 수 있는 핵심 역량을 지닌 직원을 키워 놓아야 한다.

식당을 오픈하면 초기 영업력 향상을 위한 홍보에 집중할 게 아니다. 처음으로 방문하는 첫 손님에게 좋은 인상을 심어줄 수 있도록 최선을 다해야 한다. 오픈 일주일, 한 달 동안 매장 홍보보다는 방문하는 모든 고객이 가치를 느낄 수 있게 정성껏 모셔야 한다. 고객과 최전선에서 마주치는 부서 직원들이 주인과 똑같은 마음으로 근무하도록 지속적인 '휴먼 터치(고객 감성)' 서비스 교육을 하고 모든 의사 결정을 고객 중심으로 해야 한다.

종업원 한 명 한 명이 최전선에서 매일같이 전쟁을 치르고 있다. 주인 같은 직원을 양성하고 길러내는 것이 성공의 바로미터다. 그러기 위해서는 어떠한 일이 있어도 자기 직원들을 지켜내고 배려해 회사를 위해 몸을 던지겠다는 신뢰를 쌓아야 한다.

후배가 경영하는 골프장에 간 적이 있다. 필자는 그 후배에게서 골프장에서 있었던 이야기를 들을 수 있었다. 지역 내 유수 은행장이 골프장에서 캐디를 폭행한 적이 있는데 회사 내부에서는 그 은행에 대출도 많고 부탁도 해야 하는 상황이라 사건을 유야무야 덮으려 했다고 한다. 그때 필자의 후배인 창업주의 손자이자 임원이 창업주에게 달려가 부당함을 호소하고 직원을 지켜야 한다는 말을 했다. 그러자 그 자리에서 은행 대출금을 전부 사재를 털어 갚고, 원칙대로 처리했다.

그 사건 이후 골프장에 근무하는 모든 직원이 후배에게 신뢰를 보내고 지금은 호남 최고의 골프장 중 하나가 되어 많은 고객으로부터 사랑을 받고 있다. 경영자 본인은 마음대로 하면서 직원에게 최고의 서비스를 하라고 할 수는 없다. 회사가 자신을 지켜주고 인정하고 배려해 준다는 믿음이 있어야 직원이 따라온다. 직원 위에서 군림하며 함부로 대하고 인격적 모욕을 하는 오너 밑에 충신은 나올 수 없다.

자영업이든 제조업이든 무슨 사업을 하든지 직원의 만족 없이 고객의 만족은 없다. 수십억 원을 투자한 대기업이 운영하는 식당에 간 적이 있다. 자리에 앉고 5분도 되지 않아 이 식당은 곧 망하겠다는 생각이 들 만큼 서비스에 대한 기본 교육이 전혀 안 돼 있고, 고객의 중요성에 대해 인식하고 있는 책임자 또한 보이지 않았다.

중간 관리자도 있고 임원도 있고 사장도 있고 회장도 있을 텐데, 그 기업엔 아무도 서비스업에 대한 본질, 즉 고객 만족의 영속성에 대해 인지하는 사람과 시스템이 없었다. 식당은 따로따로 겉돌듯 운영됐고, 예상대로 머지않아 그 브랜드는 시장에서 사라졌다.

많은 돈을 들여 겉만 화려한 시설물로써의 식당을 자랑하기보다, 오픈 날에 수천만 원의 예산을 사용해 매장 홍보에 열을 올리기보다, 고객 접점 최전선에서 고객을 맞이하고 대하는 직원 개개인의 마음에 서비스 정신을 심어 주는 시스템을 만들어야 한다. 오픈 첫날 첫 손님부터 만족하게 하는 서비스업의 본질을 구성원 모두에게 인식시키는 것이 제일 중요하다. 불친절하면 형제간에도 다른 집에 간다.

8. "사드 때문에 손님 없다"는 종업원, 이런 식당 잘될까

외식 컨설팅을 하다 보니 동남아시아와 중국 등에서도 문의가 들어와 가끔씩 출장을 갈 때가 있다. 언젠가 중국 광둥성으로 출장을 갔다. 규모가 아주 큰 한국 식당 입구에 들어서니 한국에서 온 지배인이 서 있었다. 식당 오너가 매장을 도와주러 온 컨설턴트라고 소개를 하는데도 그는 건성으로 인사를 건네고 태도도 불량했다. 우선 매장의 총책임자인 지배인과 면담을 하면서 지난 3년간 매출 및 손익 자료를 요청해 분석했다.

3년간 매출 추이는 계속 내리막길이었고 매출이 하락하는데도 인건비와 식재료비는 계속 상승하는 것으로 보아 오래가지 못할 식당이라는 걸 금방 알 수 있었다. 인건비와 재료비는 매출에 따라 연동해 발생하는 변동비임에도 불구하고 매출이 하락하는데도 인건비와 식재료비 비율이 올라간다는 것은 기본적인 관리 자체가 되지 않음을 의미하는 것이다.

일주일간 매장에 머무르면서 원인을 찾아보았다. 우선 직원 한 명당 올려야 하는 인당 생산성이 현저히 낮았다. 매출은 요일별로, 계절별로 차이가 있기 마련이고 3개년 평균 매출 데이터를 근거로 예측 경영을 할 수 있어야 한다. 그런데 정규직과 아르바이트 구성비가 3년 전 매출에 맞추어져 그대로이고 인력 변동도 거의 없었다.

재료비가 매출에서 차지하는 구성비도 중요하지만, 월별 식재료 구매 총량에 따른 재고 비율이 15%를 넘어서고 있는 점은 상태가 아주 심각하다는 증거였다. 지배인에게 월별 인벤토리 리스트를 가지고 오라 하니 주방장에게 시켜도 제대로 하지 않는 등 관리가 안 된다는 답변이 돌아왔다.

통상 식재료 구매가 잘 이뤄지는 곳은 재고비 총액이 매출 대비 5%를 넘지 않는데, 여기선 3배를 초과하니 책임자가 얼마나 무관심하게 매장을 관리하는지 알 수 있었다.

인건비 비중이 왜 이리 높으며, 매출이 지속해서 하락하는데도 인력은 왜 똑같이 투입하고 있냐고 물었다. 장사가 조금 안 된다고 인력을 줄이면 다시 장사가 잘될 때 직원을 채용하기 어려워 함부로 줄일 수 없다는 답변이었다. 또 한국식 경영 관점에서 중국에서 외식업을 하면 실패하기 십상이라는 어이없는 답변이 돌아왔다.

매출이 왜 이렇게 떨어졌냐고 물으니 사드(THADD, 고고도미사일방어체계) 영향으로 중국인 고객이 매장을 방문하지 않아 이곳에 있는 대부분의 한국 식당들은 적자를 면치 못하고 있다고 했다. 또 요즘은 비가 많이 오는 우기라 손님들이 매장 방문을 하지 않는다고도 했다.

매장 방문 고객들 가운데 중국인이 차지하는 비중이 얼마며 인당 소비하는 객단가와 많이 팔리는 메뉴별 판매 순위, 구매 식재료별 거래처 리스트, 구매 항목별 반품률, 식재료 폐기율, 판매 메뉴별 원재료 비율표, 수도 광열비와 소모품 월별 사용량 분석 자료 등을 요구했다.

지배인은 자신이 부임했을 때도 이런 자료가 없었다며 안 그래도 지금 자료를 분석 중이라고 한다. 그럼 어떻게 월별 손익표를 작성하느냐고 물으니 오너가 매월 말 건네주는 구매 영수증이나 청구서 등을 토대로 월별 손익표를 대략 작성해 보고한다고 했다.

그럼 앞으로 매장을 살리기 위한 매출 증대나 수익 향상 방안은 세워져 있냐고 물었다. 혼자서 매장 관리하기에도 벅차 구체적인 방안 마련은 엄두도 못 내고, 실컷 준비해 오너에게 제시하면 적자인데 돈 드는 일은 하지 말라고 할 게 뻔하다고 했다.

　무슨 질문을 해도 지배인은 언제나 변명을 늘어놓았
다. 매장 전체를 관리하는 책임을 지는 자리에 채용됐으
면 어떠한 일이 있어도 원인을 찾아내고 해결책을 마련
해야 하는데도 그는 늘 아무 생각 없이 반복적인 업무를
습관처럼 하고 있었다. 책임자가 이런 업무 자세를 지니
니 적자를 지속하는 건 당연한 일이었다.

　필자는 34년간 호텔을 비롯한 외식 및 리조트 등 다양
한 식음 분야의 컨설팅을 하면서 수없이 많은 직원을 만
났다. 그러다 보니 성공한 매장과 실패하는 매장을 예측
할 수 있다. 주인 의식을 지닌 관리자 혹은 직원이 얼마
나 존재하는가에 따라 매장의 흥망이 갈린다 해도 틀린
말은 아니다.

　조직 구성원 중에는 두 가지 부류의 사람이 있다. 하나
는 언제나 모든 일에 대해 변명거리를 찾는 'Because of
형(때문을 외치는 사람)'이다. 또 다른 하나는 어떤 어려
움과 난관이 있어도 해결 방안을 찾고 돌파해 반드시 성
공시키는 'Inspite of 형(~함에도 불구하고 해결하고자
하는 사람)'이다.

　사드 때문에, 비가 많이 와서, 인력을 구하기 힘들어

서, 경기가 어려워서, 인근에 경쟁 식당이 많이 생겨서, 오너가 돈 드는 일은 하지 않으려 해서, 서비스 인력 수준이 낮아서, 전임자 때부터 분석 자료를 만들지 않아서 등 온갖 핑곗거리만 생각하고 기계처럼 출근했다가 하루만 채우고 그냥 퇴근하는 조직은 절대로 성공할 수 없다.

34년 전 같이 입사한 동기는 첫날부터 여기는 급여도 적고 일하는 환경도 안 좋아 그만둬야겠다는 이야기를 툭 하면 던졌다. 그는 오랜 세월이 흘렀는데도 아직도 같은 호텔 웨이터로 일하며 "진짜 힘들어 그만둬야겠다"고 말해 웃은 적이 있다.

초긍정의 자세로 불리한 환경을 이겨 내고 헤쳐나갈 수 있는 조직 구성원이 많아야 남들보다 차별화된 성공 신화를 창조해 나갈 수 있다.

언젠가 내게 수업을 받던 학생이 "저희는 앞으로 어떻게 되는 겁니까"하고 물었을 때 "어제 네가 무슨 일을 했는지 돌아보면 그게 너의 미래다"라고 말해 준 적이 있다. 가정에서든, 학교에서든, 기업에서든, 그 어떤 조직에서든 Because of 인간형보다 Inspite of 인간형을 많이 길러내도록 하자. 아니, 모범을 보이도록 하자. 그게 곧 조직의 미래고 국가의 미래다.

9. 그 많던 뷔페 식당, 어디로 갔나

음식점업은 국민 소득과 밀접한 관계가 있다. 1995년 국민 1인당 GDP가 1만 달러 시대를 맞기 전후에는 음식의 양이 중요시됐다. 음식점 수도 많지 않을뿐더러 특색 있는 식당도 없던 시절이니 풍부한 양으로 성공한 식당이 많았다. 저가형 뷔페 식당과 6,000~7,000원으로 마음껏 고기를 먹을 수 있는 고기 뷔페가 성행했다. 지금은 이런 식당 대부분이 사라졌다. 중저가형 뷔페도 스시나 샐러드바 중심의 뷔페로 변모해 영업 중이다.

2006년 국민 소득이 2만 달러를 넘어선 시절엔 양보다는 음식의 품질이 우선시됐다. 식당에서 인테리어라는 개념조차 없었던 이전 시대와 달리, 디자인 개념이 식당에 도입되고 개성 있는 식당이 넘쳐났다. 가격 대비 가치를 중시하는 가성비 식당이 아니고서는 성공할 수 없었다.

중가형 뷔페 식당이 열풍처럼 휩쓸고 지나간 이후에는 식당 이용 고객의 중심축으로 떠오른 여성을 잡기 위한 메뉴 개발이 이루어지고, 외국에서 공부하고 돌아온

쉐프가 대한민국 외식 시장의 아이돌이 됐다. 디저트 카페와 인도 요리 등의 민속 요리, 건강을 중시하는 올가닉 전문 레스토랑, 아시안 푸드와 서양 요리가 결합한 융복합 퓨전 요리 식당이 성업했다.

5,000만 명의 인구에 2008년 세계에서 7번째로 국민소득 3만 달러를 넘어선 국가가 된 대한민국 외식 시장에선 이전엔 볼 수 없던 변화의 물결이 일고 있다. 양도 질도 아닌 새로운 경험을 중시하는 개성 넘치는 식당이 돌풍을 일으키고 있다.

과거 3만 달러를 넘어섰던 선진국 사례를 살펴보자. 어둠 속에서 오직 촉각과 미각으로만 식사하는 레스토랑이 예약이 안 될 정도로 인기를 끌었다. 까마득한 절벽이 내려다보이는 식당과 심해를 미디어 아트로 연출해 마치 바닷속에서 식사를 즐기는 듯한 이색 식당도 이 무렵 생겨났다. 일상에서는 경험하지 못하는 독특한 컨셉의 식당도 규모의 경제와 상관없이 차별화하면 할수록 성공 확률이 높은 틈새시장이 될 수 있었다.

또 하나의 큰 변화는 1인 가구의 증가로 인한 식생활 패턴의 변화다. 2017년 통계청 인구 총 조사에 따르면 전체 국민 대비 1인 가구가 차지하는 비중이 28.6%를 넘어섰다. 요즘 홈쇼핑, 온라인 시장에서 강세를 보이는 가정 대용식(HMR, Home meal replacement) 식품의 판매 증가, 편의점 냉장 식품 판매대의 1인 가구를 겨냥한 고급화 현상, 혼자서도 눈치받지 않고 마음껏 식사를 즐기는 1인 대상 전문 식당의 등장, 혼밥·혼술 문화, 빠르면서도 재료의 고급화를 추구하는 패스트 프리미엄(Fast premium) 시장의 확대, 음식을 문화로 인식하고 맛을 찾아 유랑하는 노마드(NOMAD, 유목민)족의 등장 등이 3만 달러 시대에 일어나는 현상이다.

특히 2016년부터 매년 폭발적으로 성장하고 있는 공유 주방은 존폐의 갈림길에 선 자영업자에겐 치명적인 복병이 될 수도 있지만, 한편으론 초기 투자비가 높은 음식점 창업의 실패 리스크를 줄이는 대안으로 떠오르는 이중성을 갖고 있다.

공유 주방은 한 사업자가 매장을 통째로 임대해 여러 사업자가 월 임대료를 나눠 내는 방식이다. 기본 인테리어와 주방 시설 제공, 배달 및 정산 관리, 마케팅 대행 등을 대신 해주니 입주 업체는 경쟁력 있는 음식만 생산하면 된다. 투자비가 들지 않고 오히려 공유 주방에서 성장해 오프라인 시장에서 성공할 기회를 창출할 수 있다는 측면에선 자금력이 부족한 영세 창업자가 도전해 볼 만하다.

국내의 대표적인 스타트업 공유 주방 업체로는 배민 키친, 먼슬리 키친, 위쿡, 심플 키친, 우버 그룹 공동 창업주인 트래비스 캘러닉이 서울에 1호점을 오픈한 클라우드 키친과 더와이 등이 있다. 이미 3조 원을 넘어선 국내 배달 시장을 겨냥한 업체 간 경쟁이 날로 심화할 것으로 보인다.

가급적이면 성공 확률이 10% 미만인 식당 창업 시장에 뛰어드는 걸 말리고 싶지만, 창업해야 할 상황이라면 소득 수준 상승에 따른 시장 환경의 변화를 잘 이해하고 준비하라고 조언한다.

많이 벌 생각을 버리고 어떻게 살아나갈 것인가를 냉정하게 생각해 봐야 한다. 전자의 공식은 '매출-비용=이익'이고 후자의 공식은 '이익=매출-비용'이다. 두 공식이 얼핏 비슷해 보이지만 하늘과 땅 차이다. 반드시 벌어야 할 최소한의 이익을 산정해 놓고 입점 전략을 세워야 한다. 상상은 가급적 하지 마라. 창업은 현실이고 세상에서 제일 힘든 전쟁터다.

10. 프랜차이즈 선택 때
꼭 확인해야 할 배려 지수

약 40여 년간 외식업에 종사하다 보니 많은 프랜차이즈 업체 대표를 만난다. 한 번은 이름만 대면 알 만한 국내 유명 프랜차이즈 회장이 정월 초하루부터 만나자고 요청이 와 저녁 식사를 한 적이 있다. 회사가 중국에 진출한 지 몇 해가 지나도록 성과를 내지 못하고 있어 답답해 찾아 왔다고 한다.

익히 그 회사의 영업 전략에 대해 잘 알고 있었기에 약 3시간에 걸쳐 회사의 전략적 문제점을 지적하고 해법을 제시했다. 두 손을 맞잡고 너무 큰 도움을 받았다면서 회사로 돌아가 정식으로 컨설팅 계약을 맡기겠다며 연신 고마워했다. 그로부터 1년이 지나도록 아무 소식이 없고 상대방의 귀중한 시간과 아이디어를 뺏고는 사과조차 없다. 또 하나의 씁쓰레한 기억이다.

지인을 통해 추모 공원을 운영하는 대표에게 연락이 왔다. 추모 공원의 음식 문화를 바꿔 보고 싶은데 회사에 전문가가 없어서 도움을 청한다는 내용이었다. 나 역시 평소에 우리나라 추모 공원은 왜 똑같은 음식만 판매하는 지 불만이었고, 보람도 있을 것 같아 몇 시간 동안 많은 의견을 제시했다. 정식 제안서를 제출해 계약을 하고 일을 진행하겠다 하니 제안서를 달라고 했다. 제안서를 접수한 지 두 달이 지나도록 아무런 연락이 없다.

두 가지 사례는 한국에서 비일비재하게 일어나고 있는 경우다. 내 사리사욕을 위해 끊임없이 남에게 생채기를 내고 이용하는 사람들은 절대 성공할 수 없다. 재물은 얻었을지언정 사람을 잃기 때문이다.

지금은 은퇴한 국민 타자 이승엽 선수가 현역 시절 데뷔전을 갖는 신인 투수에게 홈런을 뺏은 뒤 묵묵히 머리를 숙인 채 1루로 걸어가는 모습이 화제였다. 기자들이 홈런을 치면 기쁠 텐데 왜 머리를 숙인 채 조용히 그라운드를 도느냐고 물으니 "첫 데뷔전을 치르는 신인 투수가 홈런을 허용한 뒤 갖는 아픔을 알기에 마냥 환호할 수 없었다"라는 대답이 돌아왔다.

반면에 심심찮게 상대편 선수와 싸움을 벌여 뉴스에도 자주 등장하는 어느 선수는 단타만 쳐도 온 세상을 다 가진 것처럼 요란하게 세리머니를 하고 난리를 치다 결국 상대편 선수의 감정을 건드려 심한 견제를 당한다. 급기야는 멱살을 잡고 싸움을 벌이기 일쑤다. 그 선수가 대선수가 되지 못했음은 물론이다.

BTS는 전설적 뮤지션인 비틀스와 퀸이 섰던 꿈의 무대인 영국의 웸블리에서 6만 관중을 한국어로 떼창과 환호하게 했다. 손흥민 선수는 아시아 선수로는 최초로 2022년 프리미어리그 득점왕에 올랐다. 그들의 공통점은 '겸손함'이다. 그들을 왜 좋아하고 그들이 언론과 팬들로부터 왜 호평을 받느냐고 물으면 이구동성으로 그들의 겸손함과 바른 인성을 얘기한다.

사업도 마찬가지다. 특히 규모가 크든 작든 직원을 채용해 매장이든 회사를 운영하는 경영자가 가장 갖추어야 할 덕목이 측은지심이다. 측은지심의 사전적 의미는 남을 불쌍하게 여기는 착한 마음이지만 그 본질은 배려하는 마음이다. 나로 인해 상대방이 느껴야 하는 타인의 마음을 헤아려 겸손하게 언행을 하고 관계를 이어 가는 것이다.

얼마 전 한 치킨 프랜차이즈 업체 대표와 프랜차이즈 사업주가 가져야 할 경영 철학에 대해 깊은 토론을 한 적이 있다. 그는 모든 의사 결정을 할 때 가맹 점주의 이해와 생계를 침해하는가를 먼저 따지고 결정한다고 한다. 브랜드 파워를 위해 자사 모델을 연예인으로 계약할 때 대다수의 가맹 본사는 점주에게 홍보비 명목으로 비용을 청구한다. 그런데 그 업체는 본사에서 전액을 부담한다고 한다.

자기를 믿고 전 재산을 던진 그들이 자신으로 인해 실패한다면 본사가 끝까지 책임을 져야 한다고 말한다. 만약 그들 누군가가 여러 가지 사정으로 문을 닫는다면 투자한 창업비마저도 보상해 줘야 한다는 각오를 얘기한다.

가맹점의 성장은 본사의 경영 능력과 가맹점을 바라보는 본사 오너의 인식에 따라 좌우된다고 해도 과언이 아니다. 창업하는 많은 사람이 독립 창업을 하지 않고 프랜차이즈 창업을 하는 이유도 안정화된 시스템과 브랜드 파워, 규모의 경제로 인한 공동 구매가 주는 원가 경쟁력을 믿고 선택을 하는 것이다.

그럼에도 불구하고 많은 배려심 없는 오너들로 인해 가맹 점주들이 큰 피해를 보고 있는 것도 사실이다. 홈페이지에 서술된 자랑스러운 지표를 보기 전에 실제로 운영되고 있는 많은 가맹 점주를 일일이 찾아가서 본사가 가맹점을 대하는 배려 지수를 먼저 체크해 보라 말해 주고 싶다.

매출 및 점포 성장률, 손익 지표 등 경영 지수보다 더 중요한 것은 사람을 대하는 기본 마음가짐에 배려심이 있느냐 없느냐를 먼저 살펴보는 배려 지수가 올바른 가맹 본사를 선택하는 기준이 되어야 한다. 모든 운명이 어떤 사람을 만나느냐에 따라 결정되기 때문이다. 사람이 곧 하늘이다.

11. 가맹점 망하는 건 점주 탓?
어떤 프랜차이즈 대표의 경영관

국내에는 프랜차이즈 본사와 브랜드가 많아도 너무 많다. 프랜차이즈 사업에 대한 규제가 느슨하다 보니 직영점 1~2개만 오픈하고 가맹점 모집에 들어간다. 완성도 낮은 업체도 문제지만, 도덕성이 결여된 가맹 본사도 많은 게 사실이다. 또한 본인의 전 재산과 가족의 운명이 걸린 사업을 결정하는데, 유명 연예인 모델이 주는 막연한 성공에 대한 기대감에 이끌려 덮어 놓고 브랜드를 선택하는 '묻지 마 창업'도 심각한 문제다.

한때 국내 커피 창업 시장을 장악하려는 듯이 엄청난 속도로 점포 수를 늘리던 A 업체가 가맹점 계약이 더는 늘지 않자 갑자기 레스토랑 사업에 뛰어들어 무차별 광고를 개시한 적이 있다. A 업체의 메인 광고 카피는 '저희는 이제 새로운 브랜드로 무장하고 새로운 사업을 시작합니다'였다. 한쪽에서는 과당 출점으로 커피 사업이 무너지는데도 버젓이 새로운 브랜드로 새롭게 사업을 벌이겠다는 비윤리성을 보였다.

본사를 믿고 전 재산을 투자한 1,800여 개의 가맹점주가 망해 가는데도 최소한의 죄의식도 없이 '우리는 이제 새로운 브랜드에 모든 걸 올인한다'라는 광고를 할 수 있다는 게 놀라울 따름이다. 기존 가맹 점주의 성공을 위해 모든 역량을 쏟아 부어야 함에도 새로운 가맹 점주를 유치하고 사세를 확장해 가는 것에 매진하니 그 회사와 브랜드가 잘될 일이 있겠는가?

결국 회사도 망하고 기존 브랜드도 망하고 새롭게 론칭한 브랜드도 망했다. 가맹점의 성공 없이는 한 발자국도 더 나아갈 수 없다. 그런 경영 마인드로는 지금의 성공도 신기루요, 사상누각일 뿐이다.

얼마 전 한때 점포 수가 1,000개를 넘었던 유명 프랜차이즈 본사의 회장을 만났다. 그의 성공 신화를 익히 알았고 어떤 사람인지 궁금하던 터라 마음이 설렜다. 명함을 건네고 "직접 만든 B 브랜드는 지금 잘 운영되고 있느냐"고 물었더니 돌아오는 대답이 걸작이다.

"저는 지금 잘 모릅니다. 많이 문을 닫은 거로 아는데 점주도 문제고 이제 별 관심이 없습니다" 그 대답에 브랜드를 만들고 경영한 오너가 모르면 누가 아느냐고 물으니 그것도 질문이냐는 듯이 쳐다본다. 프랜차이즈가 지속해 성장한다는 게 쉬운 일은 아니라는 생각인 듯하다. 또 그 브랜드는 이제 더는 성장할 수 없는 지경이라며, 본인이 이번에 획기적인 아이템을 하나 개발했는데 내 도움이 필요해 찾아왔다고 한다. 그가 사무실을 나가고 나서 '저런 사람과는 일하면 안 되겠다'는 마음이 들었다. 그런데 그다음 날부터 하루에도 수십 통씩 이메일로 자신이 개발한 브랜드 로고, 메뉴, 사진을 끊임없이 보내 왔다. 그 사람이 어떤 사람인가 실험하고자 내가 쓴 칼럼을 보냈지만, 칼럼에 대해서는 한마디 말도 없이 자기가 필요한 얘기와 자료만 스토커처럼 보내 왔다. 통상 지인에게 칼럼을 보내면 짧은 피드백과 인사말이 오가고 그에 대한 감사의 답신을 한다. 반면 그는 전혀 사전 소통 없이 일방적으로 자기가 필요한 것만 계속 보냈다. 다음 날 그를 소개한 업계 후배를 만나자마자 "자네 앞으로 그 사람과는 아무런 일도 하지 않았으면 한다"라고 말하니 눈이 휘둥그레진다. 왜 그런지 이유를 설명하자 그제야 이해를 하고 내 말에 공감했다.

비단 프랜차이즈 사업뿐 아니라 타인과의 무수한 만남이 이루어지고 있는 현대 사회에서는 먼저 자신을 내어

주어야 한다. 삼성의 창업주 이병철 회장이 삼성 그룹의 후계자로 이건희 회장을 발표한 뒤 제일 먼저 써 준 글이 '경청'이었다.

내 얘기를 먼저 하기 전에, 내가 하고 싶은 비즈니스를 먼저 꺼내기 전에 남의 얘기를 먼저 잘 듣고 원하는 조건을 그의 입장에서 전향적으로 검토해야 한다. 간단한 인사를 먼저 나누고 내 용건을 말해야 하며, 상대방이 제안하는 조건을 먼저 열심히 들어준 뒤 나의 입장을 이해시키고 상호 감정을 건드리지 않는 범위 내에서 조율해 나가야 한다.

부득이 거절할 때도 단칼에 자르지 말고 상대방의 입장을 먼저 헤아리면서 정중히 거절해야 한다. 일본인은 40년을 같이 산 남편과 맞지 않아 이혼하면서도 "그동안 신세 많이 졌습니다"라는 편지 한 장을 신발장 위에 올려놓고 이혼 소송을 진행한다. 거래 단절을 선언할 때도 "고려해 보겠습니다"라고 상대방에게 얘기한다. 중국인들은 만면에 웃음을 띠며 "다음에 또 얘기하자"고 하는데, 이는 곧 비즈니스가 결렬되었다는 걸 의미한다.

본사를 믿고 모든 것을 건 가맹 점주가 왜 망했는지 관심조차 없고, 이미 수천 명이 자신의 브랜드를 달고 고군

분투를 하고 있는데도 버젓이 새 브랜드를 론칭하는 그런 회사가 잘될 리 만무하다.

사람이든 사업이든 쌍방향 커뮤니케이션을 해야 한다. 먼저 남의 입장에 서서 역지사지 자세로 세상을 살아가야 한다. 나 혼자 잘살려고 하면 안 되고 함께 잘사는 선순환 사고를 지녀야 한다. 국내 외식 시장은 100명이 문을 열면 90명이 폐업한다. 이 시장에서 프랜차이즈 창업을 생각한다면 본사 오너가 어떤 경영 철학을 갖추고 가맹점주를 대하는지 먼저 알아보자. 그다음에 브랜드의 장단점과 회사의 성장 가능성을 파악하라고 권하고 싶다. 세상에서 제일 무서운 것도, 세상에서 제일 고마운 기회도 결국 사람이 만들어 낸다.

12. 마음을 비우고 평정심을 유지해라

오래전 얘기이지만 2019년 U20 월드컵에서 한국이 준우승을 차지해 온 국민을 열광케 했다. 1983년 멕시코 세계 청소년 축구 4강 이후 처음인 준우승이라는 값진 결과도 결과였지만, 정정용 감독과 선수들이 한 팀으로 똘똘 뭉쳐 역전에 역전을 거듭하며 쾌거를 일구어 낸 과정이 국민들에게 큰 감동을 주었다.

특히 8강전에서 세네갈과의 승부차기까지 가는 접전 끝에 승리를 거두는 장면은 이번 월드컵의 압권이었다. 이강인의 천재성을 재발견한 소득도 컸지만 나는 두 가지 측면에서 큰 인상을 받았다. 하나는 세네갈전 승부차기 1번 키커로 나온 김정민 선수의 슛이 골포스트를 때리는 순간 절망하고 있는 그에게 환하게 웃으며 다가서며 연신 "괜찮아, 괜찮아"를 외치며 위로하던 이광연 골키퍼의 표정이었다.

어떻게 나이 스물의 약관에 그런 대범한 모습을 보일 수 있는지, 그 절박한 순간에 실수한 동료를 온몸으로 위로하는 모습을 보고 큰 감동을 받았다. 그런 행동은 아무나 할 수 있는 게 아니다.

두 번째는 이번 대회까지 무명에 가까웠던 정정용 감독의 평정심이 돋보였다. 1번 키커 김정민의 슛이 골포스트를 맞추고 2번 키커 조영욱의 슛이 골키퍼 선방에 막힐 때도 그의 표정은 미동조차 없을 만큼 냉정했다. 보통의 감독이었다면 머리를 감싸고 절망 섞인 표정을 지었을 텐데 정 감독은 조금의 동요도 없이 그라운드만 쳐다보고 있었다.

또한 마지막 키커인 오세훈 선수의 슛이 골망을 가르며 4강 진출을 결정짓는 그 순간에도 빙그레 한번 웃고 나서 코치와 선수들을 껴안고 격려하며 기뻐했다. 결승전까지 오는 모든 경기에서 정 감독은 골을 먹을 때나 골을 넣을 때나 좌절하거나 열광하지 않고 차분히 자기 경기를 이끌어 가고 있었고, 그러한 평정심이 한국 청소년 팀을 세계 최강의 팀으로 만들었지 않나 생각한다.

일본 전국 시대 말기와 에도 시대 초기 당대 최고의 검객이었던 사사키 코지로와 무명 검객에 불과했던 미야모토 무사시가 시모노세키 남쪽 500m 바다에 떠 있는 조그마한 섬인 간류섬에서 벌였던 간류지마의 결투는 아직도 전설로 내려오고 있다.

고쿠라성의 영주인 호소가와 가문의 검법 사범이자 자신도 수천 명의 사병을 거느린 일본 최고의 사무라이인 사사키 코지로에게 어느 날 갑자기 날아든 무명 검객 미야모토 무사시의 결투 신청은 그를 혼란 속에 빠뜨렸다. 고아에 가깝던 무사시는 독학으로 검술을 익혀 홋카이도부터 남쪽으로 남하하면서 이름깨나 날리던 무술 고수들을 한 명 한 명 쓰러뜨리고 내려오는 중이었고 마침내 일본 최고 검객 사사키에게 결투장을 날린 것이었다.

당시에는 상대방이 신청한 결투를 받아들이지 않는 것은 모든 명예를 잃는 것이나 다름없기에 사사키는 어쩔 수 없이 결투를 받아들였지만 너무나도 불안했다. 우선 무사시가 누구인지, 어떤 검법을 쓰는지 전혀 정보가 없었고, 한 명의 부하도 거느리지 않은 채 혼자 일본을 떠돌아다니며 결투를 벌여 강호들의 목을 베고 다닌다는 전설만 풍문으로 들어오던 차였다.

마지못해 결투를 받아들였지만 만약 자신이 패한다면 그동안 쌓아올린 모든 부와 명예, 권력이 한꺼번에 날아갈 수 있다는 불안감에 한숨도 자지 못하고 밤새도록 서슬 퍼렇게 칼을 갈며 아침을 맞이했다.

반면 무사시는 잃을 게 없었다. 어차피 혼자였고 당대 최고 무사인 사사키마저 쓰러뜨린다면 일약 일본 최고 검객으로 우뚝 솟을 기회를 맞이하게 된다. 져도 좋다는 마음으로 모든 욕심을 내려놓고 결투 장소인 간류섬이 내려다보이는 정자에 촛불을 켜고 앉아 밤새 목검을 갈면서 마음의 평정심을 유지했다. 사사키는 종이마저 스치면 두 동강이 날 만큼 칼날을 갈며 불안감에 밤을 새웠지만 무사시는 모든 것을 버리며 마음의 목검을 갈면서 아침을 맞이한 것이다.

수천 명의 사병을 뒤로 한 채 초조히 무사시를 기다리던 사사키 앞에 나타난 것은 목검을 들고 홀로 나룻배에서 내리는 무사시였고 이미 승부는 무사시의 것이었다. 결투를 겨루기도 전에 사사키는 이미 몸이 굳어 버린 상태였고 세 합도 겨루기 전에 무사시의 목검에 의해 죽임을 당했다. 당대 최고의 검객으로 미야모토 무사시의 이름이 전 일본에 알려지는 순간에도 무사시는 기뻐하지도 환호하지도 않고 유유히 그가 타고 온 쪽배에 몸을 싣고 떠오르는 태양 속으로 사라졌다.

장황하게 지나간 일본 검객 얘기를 하는 건 평정심에 대한 얘기를 하고자 함이다. 살아가면서 많은 기회도 오고 위기도 맞이한다. 그때마다 일희일비한다면 세상을 헤쳐 나갈 수 없다. 미치도록 환호성 지르는 기쁜 날에도 세상 반대편에서 절망하고 있는 상대방이 있고 하늘이 무너지는 절망스런 순간에도 솟아날 방도는 있는 것이다.

바닥까지 내려갔으면 이제 바닥을 치고 올라오면 되는 것이고, 오늘의 기쁨에 취하여 방심한다면 내일은 불행이 두 배로 덮칠지도 모르는 일이다. 못 넘을 파도는 없고 어둠이 짙을수록 새벽은 빨리 온다고 하지 않던가.

장사도 마찬가지다. 오늘 손님이 조금 많다고 허둥대거나 대응을 잘못해 찾아온 손님이 불평을 쏟아내며 떠나면 그들을 다시 찾게 하는 데는 엄청난 시간과 돈이 들어간다. 장사는 하루아침에 대박이 나지 않는다. 오픈 날을 받아 놓고 사돈의 팔촌까지 지인들을 초청하고 전단지를 수십만 장씩 주변에 뿌리기보다는 오늘 찾아온 한두 테이블의 손님을 최선을 다해 모시고 돌려보내는 철저한 준비가 선행돼야 한다.

오늘날 대박 식당을 보면 급할 것 없는 외식업 초보자가 주인공인 경우가 많은 것도 이 때문이다. 마케팅에 열을 올리기보다 오늘 당장 어떡하면 더 맛있게 음식이 나갈 수 있을까만 고민하는 초보 주인이 운영하는 식당이 더 잘되는 까닭이다. 음식업은 감성 산업의 결정체다. 성공에만 눈이 멀어 오픈 첫날부터 고객이 미어터지기를 원한다는 그 생각부터 버려야 한다.

조금 실수한다고 손님 앞에서 큰소리로 직원을 야단치고, 조금 손님이 없다고 전단지를 들려 직원들을 거리로 내몰고, 조금 손님이 많다고 방심해 식재료 원가를 떨어뜨리거나 식삿값을 올려 이익을 더 취하려는 그런 마음으론 정글보다 더 살벌한 자영업 시장에선 살아남을 수 없다.

시간을 다스려 나가듯, 완성도를 높여 가야 한다. 술향기가 깊으면 골목 끝에 있어도 손님은 찾아온다는 신념과 평정심을 가져야만 장사든 사업이든 성공할 수 있다. 나보다 나를 더 잘 보는 사람은 고객이다. 작은 것에 기뻐하고 작은 것에 슬퍼하는 일희일비를 하면 종업원도 불안하고 고객도 멀리 떠난다. 과정이 좋으면 결과는 당연히 좋게 따라온다.

13. 작은 식당이 성공한다

아무리 자영업이 월급쟁이의 무덤이라지만 퇴직하는 직장인들 사이에서 음식업은 여전히 영순위 창업 아이템인 게 현실이다. 먹는 장사를 하면 살 수 있겠다 싶은 건 아닐까. TV만 틀면 맛집이 연일 방영되고 먹거리 관련 예능 프로들이 채널을 독점하다시피 하는 것도 영향을 미치는 것 같다.

퇴직자들을 노리고 직영점 한 개를 운영할 만한 실력도 안 되는 업체들이 너도나도 프랜차이즈 사업에 뛰어들고 있다. 방송국 외주 제작사 임직원과 친분이 있는 경우 가맹점 모집을 위해 돈을 건네면서까지 방송에 출연해 예비 창업자를 유인하기도 한다.

그러나 창업한다는 것은 엄청난 리스크를 안고 있음을 알아야 한다. 일단 수년간의 창업 시장에 대한 데이터가 이를 말해 주고 있다. 대한민국에서 창업해 성공할 확률은 10%도 되지 않는다.

어지간해서 인구 600명당 식당이 한 개일 정도로 경

쟁이 치열한 외식 시장에서 살아남기 힘들다. 잘못된 정보에 의존해 매년 18만 명 이상이 새롭게 식당 문을 열고 19만 명 이상이 문을 닫는다. 오죽하면 폐업 처리 전문 회사와 간판 집만 돈을 번다는 소리가 나오겠는가.

최고의 조리사와 실력을 갖춘 호텔도 이미 10년 전부터 식음 업장이 적자를 면치 못하고 있다. 일반 음식점도 주 5일 근무와 음주 단속 강화로 인한 회식 기피 문화 정착, 혼밥·혼술 시장의 급속 성장 등으로 손님이 줄고 있다. 이처럼 시장 자체가 축소되니 새로운 유행이나 트랜드도 잘 먹히지 않는다.

이제는 유동 인구가 많은 상권에서 무리를 해가며, 남의 돈을 빌려 가며 창업한다는 건 다시 생각해 봐야 한다. 투입 자금이 상대적으로 적게 드는 골목상권이나 주택가에서 창업을 한다는 것도 만만치 않은 일이다.

편의점도 점점 식당화되고 있다. 즉석 튀김은 물론 4,000~5,000원대 도시락도 팔고 심지어 배달까지 한다. 소자본 창업이 가능한 공유 주방 시장에서도 세계적인 대기업인 우버 그룹이 클라우드 키친이라는 브랜드로 국내에 상륙했고 매달 몇 개 업체씩 새로운 기업이 늘어나고 있다.

좋은 입지에 점포를 구해 우수한 조리장을 영입하고 인테리어에 수억 원의 돈을 투자해 창업하던 시대는 이미 끝났다고 해도 과언이 아니다. 웬만하면 외식 분야의 창업은 하지 않는 것이 좋다.

그래도 창업하겠다면 먼저 적어도 수십 년을 이어오면서 지역에서 사랑받고 인정받는 그런 실력 있는 맛집을 찾아가 그 주방에서 무보수로 일하며 주인에게 한 메뉴라도 제대로 전수받아 보도록 하자. 그런 다음 테이블 두세 개 놓고 고객의 평가를 받아보는 '스몰 창업'을 권하고 싶다.

부산 당감동에 위치한 A 고깃집은 테이블이 세 개뿐인 음식점이지만 십수 년째 지역에서 맛집으로 사랑받으며 영업 중이다. 2호점을 내거나 가맹점을 주었다는 소리를 들은 적이 없다. 예약은 받지 않기에 주중, 주말 가릴 것 없이 언제나 손님들이 줄을 서 있다. 주인 혼자서 고기를 손질하고 서빙하고 소통하는 등 고객 한 명 한 명이 전부 단골일 정도로 작지만 알찬 영업을 하고 있다.

이렇듯 스몰 창업, 슬로우 창업을 해야 실패를 줄일 수 있다. 장밋빛 상상은 오판을 낳는다. 더군다나 남에게 가게를 맡기는 순간 그 가게는 이미 폐점을 예약한 거나 다름없다. 창업자 스스로 외식업의 핵심 가치인 맛있는 음식을 제공할 수 있는 실력을 갖춘 뒤에 스몰 창업을 해야 그나마 성공할 수 있다. 작지만 즐기면서, 보다 천천히 작품을 만들어 간다는 생각으로 뛰어들어야 한다. 99%의 성공을 바라기보다 1% 망하지 않는 길을 가야 한다.

14. 망하는 식당 사장의 공통점

식당을 창업해 성공한다는 것은 어려운 일이다. 누구나가 창업을 준비하면서 망할 거라고 생각하는 사람은 아무도 없을 것이다. 그러나 현실은 10명 창업하면 8명 이상이 폐업의 아픔을 겪는다. 문만 열면 성공하는 답은 존재하지 않는다. 다만 실패한 창업 사례를 연구하다 보면 폐업 리스크를 줄일 수 있을 것이다.

식당을 창업하기 전 체크해야 할 무수한 항목이 있다. 아이템 선정, 입지 선정, 인테리어 공사, 주방 공사, 기물 구입, 창업 비용 산정, 메뉴 구성, 가격 결정, 서비스 및 조리 인력 채용, 홍보 전략 등등.

한 집 건너 한 집이 식당인 대한민국에서 후발 식당이 살아남기 위해서는 창업 후 일어날 수 있는 수많은 변수를 사전 점검하고 시나리오를 작성해 폐업을 위협하는 요소에 대한 대응 방안이 확고히 수립돼 있어야만 실패를 줄일 수 있다. 그러나 대부분의 창업자는 이러한 준비가 전혀 돼 있지 않은 상태에서 막연한 성공 시나리오부터 쓰고 오픈을 준비한다.

이 정도 상권이면 하루에 얼마 매출을 올릴 것이고, 그 매출에 맞춰 인원을 채용한다. 그러나 이는 매출이 틀어지면 바로 폐업으로 간다. 매출을 보수적으로 산정하고 매출 추이에 따른 기준점을 설정해 비용을 체계적으로 투입하는 창업 준비를 해야 한다. 성공 시나리오보다는 폐업 시나리오부터 쓰고, 폐업을 초래하는 여러 변수에 대한 대응 전략이 철저히 수립돼야 한다.

비단 식당뿐 아니라 서비스업은 입지가 가장 중요하다. 오죽하면 식당 성공 요인 중 가장 중요한 항목을 첫째도 입지, 둘째도 입지, 셋째도 입지라고 하겠는가? 그만큼 고객이 유입되는 입지는 매우 중요한 요소이다. 그러나 창업자는 체면을 중시해 입지보다는 일정한 규모를 선택하는 경향이 많다. 유동 인구도 많고 배후 상권도 좋은 입지에 10평 미만의 식당을 정하기보다는 2, 3차 상권임에도 불구하고 40, 50평 규모의 식당을 차리려고 한다.

음식업의 본질인 음식 맛에 대한 특출한 실력을 갖추고 있다면 입지가 후면 상권이어도 성공 확률이 높다. 그러나 초보 창업자는 목적 고객보다는 충동 고객이 많은, 즉 유동 인구가 유입되는 상권에 오픈하는 것이 다소 유리하다. 비록 점포는 적지만 임대료, 인건비 등 운영 비용이 적게 들어가 비용을 제어하기가 쉽다. 창업 인큐베이팅을 통한 숙련 기간을 거친 후 더 큰 규모의 식당을 창업하는 순서가 올바른 선택이다.

굳이 목 좋은 곳에 일정한 규모를 갖춘 식당을 선택하고 싶다면 뜻이 맞는 친구나 지인과 함께 공동 창업을 해서라도 입지를 우선해야 한다. 중국인들은 통상 적은 규모든 큰 규모든 식당을 창업하면 최소 4인 이상 공동 경영을 하고, 폐업 리스크가 가장 낮은 입지를 고른다. 혼자서 많이 벌기보다 안 망하는 길을 선택하는 것이기 때문이다.

그러나 우리는 절대로 남하고 동업은 절대로 하지 말라는 말에 사로잡혀 꼭 나 홀로 창업을 한다. 적게 벌어도 나 혼자 벌고자 하니 위험도 혼자 떠안는 것이다. 화려한 성공보다 안 망하는 길을 택해야 한다.

우리나라는 세계에서 인구 대비 가장 많은 외식 프랜차이즈 업체와 브랜드를 가지고 있는 나라이다 보니 경쟁력 있는 메뉴 선정보다는 과장 홍보에만 열을 올린다. 허위 정보로 창업주를 유혹하는 업체도 부지기수다. 얼마 전 모 빙수 프랜차이즈가 예비 창업자 70명을 모아 놓고 여름 성수기 매출 데이터를 제시하며 문만 열면 대박이 날 것처럼 선전하다가 이를 믿고 창업한 점주들의 고발로 공정위에 과징금 선고를 받은 사례가 있다. 그 피해는 고스란히 본사의 자료만 믿고 투자한 점주들에게 돌아갈 뿐이다.

외식업은 계절, 이용 시간, 상권 특성, 소득 수준, 성별 구성비에 따라 메뉴 구성과 가격이 각각 다르게 결정된다. 심지어 식사류와 같은 주식 선호 상권이냐 우동, 라면과 같은 간식 선호 상권이냐에 따라 살아남는 자와 망하는 자가 갈린다. 이렇듯 까다로운 소비자의 선택 속성이 존재하는데 인터넷과 앱에 떠도는 부동산 중개 업소나 창업 중개 업체 영업 사원의 낚시 정보에 넘어가 덜컥 계약한 뒤 장사가 안돼 폐업을 하는 창업 사례가 많다. 그들이 제시하는 투자 수익률을 보면 입이 벌어질 정도다. 1억 원을 투자해 월 1,500만 원의 순이익을 가져가는 업장을 왜 팔려고 하겠는가.

본인 인건비를 제외하고 투자 수익률이 15%만 넘어도 소위 대박 식당이다. 이 정도 수익률을 가져다 주는 식당은 가뭄에 콩 나듯 한다. 결국 대한민국에서 식당업은 몇몇 대박 식당을 제외하고는 주인 인건비를 벌고 운영 적자만 쌓이지 않는다면 성공이라 할 수 있다. 업종 선택에서부터 입지 선정에 이르기까지 본인의 노력이 더해지면 더해질수록 성공 확률은 높고 손해도 입지 않는다.

또한 식당업에 있어 중요한 원가 구성 요소 중 하나인 식자재 구매를 주방장에게 모두 맡기는 점주가 많은데, 이는 잘못된 생각이다. 예전에는 식재료를 대부분 식당까지 배달해 주는 업체들에 모두 맡겼지만, 지금은 인터넷으로 도매 식자재 시황을 실시간 볼 수 있다. 대형 할인 마트, 농수산물 센터 등에 나가면 저렴한 식자재를 직접 대량 구매할 수 있고, 산지 직거래 방식으로 식자재를 싸게 사기도 한다. 그런데도 월 매출의 30% 이상을 차지하는 재료 구매 업무를 주인이 직접 하지 않고 주방장에게 덜렁 맡겨 버린다. 이는 믿고 안 믿고의 문제가 아니다. 경쟁력 있는 식재료 구매로 절감한 비용을 고객 만족도를 높이는 데 쓰면 재방문율 상승으로 이어지게 된다. 이는 아주 중요한 선순환적 연결점이기 때문에 주인이 직접 나서야 한다.

식당업에 있어서 맛은 두말할 것도 없이 아주 중요하다. 제일 좋은 것은 주인 스스로가 모든 메뉴를 요리하는 것이다. 그러나 대부분의 주인은 주방장에게 의존한다.

요리를 천직으로 알고 주인과 같은 마음으로 열심히 일하는 요리사가 있기는 하다. 그러나 이름만 대면 알 만한 유명 식당이나 대기업 소속 전문 조리사 경력을 이력서에 기재해 높은 연봉으로 채용된 이후에는 불성실해지고 맛도 없는 음식을 만들어 결국엔 폐업의 쓴잔을 마신 사례도 많다.

채용 전 제출된 이력서에 대해 이전 직장에 조회해 보고, 기업 경력자의 경우엔 경력 증명서를 반드시 내도록 하고, 더 나아가 자신이 가장 잘하는 대표 요리의 맛 테스팅을 하는 등 꼼꼼하게 채용을 해야 한다.

잘못 채용한 주방장으로 인해 손상된 식당 이미지를 회복하는 데는 많은 시간이 든다. 최악의 경우에는 고객의 외면을 받아 문을 닫을 수밖에 없다. 오픈하는 것이 중요한 것이 아니라 고객의 신뢰를 지속 가능하게 유지하는 것이 중요하다.

초기 이미지를 좋게 만들기 위해서는 하나하나씩 다져나가는 기다림이 중요하다. 문만 열면 손님이 쏟아져 들어올 거라는 생각부터 버려야 한다. 어떤 점주는 아직 음식이 완성되어 있지 않은데 자기가 알고 지내는 모든 지인에게 초대장과 전단을 돌리는 등 난리를 친다. 대기업

이 운영하는 수십 년된 특급 호텔도 신규로 매장을 오픈
하면 일주일은 우왕좌왕하기 마련인데, 운영 시스템이
안정되지 않은 식당은 오죽하겠는가?

엉망진창으로 꼬여버린 오픈날 방문해서 실망하고 돌
아간 고객이 다시는 매장을 찾지 않을 뿐 아니라 지역 내
블랙 컨슈머가 되는 것은 어찌 보면 당연한 일이다. 적어
도 5년을 내다보고 고객 한 명 한 명에게 최선을 다하다
보면 50년 이상 사랑받는 노포 식당이 될 수 있다. 성공
하는 식당을 만들고 싶으면 절대로 오픈 행사부터 하지 마
라. 신뢰는 하루아침에 쌓이지 않는다. 그게 세상 이치다.

15. 친절하고 활기찬 종업원들로 만들어라

외식이란 집이 아닌 외부의 식음 서비스를 이용하는 행위이며, 그러한 식음 서비스를 제공하는 상행위를 외식업이라 말한다. 과거 요식업, 접객업, 음식점업 등으로 불리던 음식점 영업이 오늘날 외식 산업으로 발전했다. '산업'이란 말이 들어간 것은 시장 규모가 커진 이유도 작용하지만 음식점이 단순히 음식을 만들어 제공하는 역할에서 탈피해 서비스의 제공, 분위기 연출, 가치의 창출 등을 상품으로 제공하는 개념으로 바뀌었기 때문이다.

외식업의 의미는 사회가 발달함에 따라 변했다. 과거 식당은 고객에게 음식을 제공하는 일정한 공간, 즉 홀이 있는 일반 음식점을 일컬었다. 하지만 오늘날에는 이런 식당에 대한 전통적 개념은 깨지고 있다.

포장만을 전문으로 하는 패스트푸드점, 테이크아웃 커피점 등과 같이 홀이 없는 외식업이 생겨나고, 한곳에서 대량으로 음식을 만들어 외부의 공사 현장이나 특정 고객에게 공급하는 주문 배달업, 외부의 특정 공간에 음식과 서비스 등의 연회 서비스를 제공하는 출장 연회업 등이 홀 공간 없이도 식당 역할을 한다.

음식물 조리나 보관, 포장 등에 대한 기술과 공정이 발달하면서 외식업과 소매업의 구분이 모호해지기도 한다. 자판기나 즉석 음식을 파는 편의점이 그 예다.

최근에는 아예 식당에서나 먹을 수 있는 음식을 간편하게 포장해 가정으로 배달해 주는 '가정 대용식(HMR; Home Meal Replacement)' 사업과 한 공간 안에 주방을 섹션화해 다양한 메뉴를 고객에게 파는 공유 주방 사업이 급속도로 성장하고 있다.

이러한 외식업은 제조업인 동시에 서비스업이며, 인간의 기본 욕구를 다루는 감성 산업의 특성을 가지고 있다. 전통적이든 새로운 개념이든 외식업은 서비스 부문과 제조 부문이 결합한 매우 특이한 분야로 만드는 곳, 파는 곳, 사용하는 곳이 대부분 한 장소에서 동시에 이뤄진다. 이를 생산과 소비의 동시성이라고 한다. 복잡한 세 가지 공정이 일정 시간 내에 원활히 서비스되려면 스피드와 프로세스가 필요하다.

또 다른 특성은 고객 수가 일정하지 않다는 점이다. 학교나 단체 급식은 고객 수가 매일 일정한 편이지만, 대부분의 식당은 그렇지 않다. 물론 그 수가 많든 적든 항상 균질한 음식을 손님에게 제공해야 한다.

　고객의 수를 잘못 예측하면 많은 양의 음식과 식재료를 버려야 할 경우가 생긴다. 낭비적인 요소를 최소한으로 줄이기 위해 고객 예측이나 재고 및 영업 관리를 철저히 해야 한다. 역으로 말하면 고정 고객, 즉, 단골손님을 얼마나 확보하느냐가 사업 성패에 큰 영향을 미친다.

　우리 동네에 테이블 다섯 개를 가지고 3년째 열심히 영업하는 작은 닭꼬치집이 있다. 더운 날씨에도 20대 후반의 주인은 땀을 뻘뻘 흘리며 닭꼬치를 굽고 나르며 일인 다역을 한다. 항상 고객이 부르기 전에 먼저 다가가 치킨 무를 리필하고, 생각지도 않은 어묵 국물을 가져다 준다. 항상 고객을 먼저 배려하고 한발 앞서 움직이는 서비스를 지속적으로 실천하니 언제나 단골로 만원사례를 이룬다. 거창한 이벤트를 하지 않아도, 과장된 겉치레 서비스를 하지 않아도 진심으로 자기 가게를 찾아 주는 한 명 한 명의 고객에게 감사해하고 고객이 요구하기 전에 먼저 예측하고 서비스를 실행하니 유명 브랜드 치킨집과 호프집을 압도할 정도로 성업 중이다.

　외식업은 노동 집약적인 산업이다. 식당에도 이런저런

자동화 설비가 도입되고는 있으나, 음식을 고객에게 전달하기까지 사람의 손을 빌려야 한다. 그러므로 어느 산업보다도 인력 관리에 세심한 주의가 필요하고, 숙련된 종업원의 이직을 최소화하기 위해 사기 진작과 동기 부여가 중요하다.

알바생이 일하는 모습만 보아도 가게의 성공을 예측할 수 있다. 외식업은 종업원의 근무 태도와 마음가짐이 성공의 절대적 기준이 된다. 임금을 주는 주인과 종업원의 관계로는 주인처럼 일하는 종업원을 기대할 수 없다.

대구에서 창업해 지금은 전국적으로 백여 개의 가맹점을 거느리고 있는 어느 감자탕집 사장은 입사 후 3년 이상 근무한 직원 중 희망자에 한해 매장을 오픈해 주고 점장으로 독립시킨다. 이런 충성 매장을 확보하는 전략이 주효해 서비스 정신으로 똘똘 무장한 청년 지원자들이 몰려들고 있다. 그 감자탕 집은 어느 매장을 가도 종업원들이 신나게 일하고 단골들이 문전성시를 이룬다.

중국 쓰촨성의 한 작은 훠궈집은 종업원을 극진히 대우해 주는 거로 유명하다. 종업원 전원이 정직원으로 중국 음식점 평균 급여의 2배를 주며 애사심을 고취시킨다. 더 나아가 1인 1실, 혹은 2인 1실의 기숙사를 운영하며 직원들이 쾌적한 환경에서 휴식 시간을 즐길 수 있도록 배려한다. 이 훠궈집은 회사 가치가 3조 원이 넘고, 중국에서 가장 친절한 식당으로 유명세를 타고 있다.

온종일 직원들이 손님들에게 시달리고 기숙사에 들어왔는데, 6명에서 8명이 한방에서 기거한다면 휴식이 제대로 될 리 없다. 일과 후 잠시라도 혼자만의 시간을 가질 수 있게 한 훠궈집 사장의 배려에 종업원들은 혼신의 힘을 다해 친절을 베푼 것이 오늘날 세계적인 식당 기업으로 성장한 원동력이 됐다.

레스토랑이든, 테이크아웃 커피점이든, 배달만 하는 매장이든 종업원들이 친절을 몸에 배게 하려면 먼저 그들을 배려하는 것부터 실천해야 한다. 직원은 곧 나의 재산을 지켜주는 제일 소중한 자산임을 잊지 않는다면 아무리 어려운 경영 환경이 와도 폐업 리스크에서 벗어날 수 있다.

16. 만 원 미만, 사계절 음식을 구성하자

국내 외식 프랜차이즈 본사 1,500개 중 1,000개 이상의 가맹점을 소유한 브랜드는 약 2%인 30여 개에 달한다. 유명 브랜드인 이들 또한 폐점률이 연평균 10%를 웃돈다. 쉽게 말해 1년에 100개가 오픈하면 10개 이상이 문을 닫는다는 것을 의미한다. 정부에서 폐점률 공개를 의무화하지 않지만 3년 이내에 40% 이상이 폐업하는 것으로 추정된다.

나 홀로 창업보다는 시스템이 잘 갖춰진 프랜차이즈 브랜드 창업이 다소 유리한 것은 맞지만, 경쟁력 있는 메뉴 개발과 품질 관리가 뒷받침되지 않는 업체를 잘못 선택한다면 폐업은 불 보듯 뻔하다.

브랜드를 띄우기 위해 인기 있는 아이돌 그룹이나 이미지가 좋은 연예인을 광고 모델로 기용해 성공할 듯 보이지만 신기루에 불과할 뿐이다. 매장 수가 적고 유명 연예인을 광고 모델로 기용하지 않더라도 숨어 있는 보석 같은 업체는 의외로 많으며, 이들을 가려내기 위한 치열한 노력이 필요하다.

정보 공개서에 명시된 각종 재무적 지표, 특히 자본금과 부채 비율, 연도별 매출 및 신규 매장 수 증감 현황과 당기순이익 변동표를 꼼꼼히 비교해야 한다. 이러한 경영 지표뿐 아니라 실제 경영주와 등기 임원 이력도 살펴보아야 한다. 좋은 브랜드를 만들고 발전시켜 나갈 때 경영진의 능력과 도덕성이 중요한 변수로 작용하기 때문이다.

또 입점 매장별 상권 보호는 제대로 되고 있는지, 본사에서 물류 이익 구조를 어떻게 가져가고 있는지, 매출 대비 식자재 구성 비율은 얼마인지에 대한 점검도 필수적이다. 시시각각으로 변하는 고객의 요구에 부응할 수 있는 메뉴 개발실 인력 수도 중요하며, 지속할 수 있게 발전할수 있는 아이템, 즉 트렌드에 민감한 업종인지도 잘 따져봐야 한다. 매년 유행병처럼 마케팅의 힘으로 반짝했다가 사라지는 브랜드가 얼마나 많은지 조금만 관심을 가져보면 알 것이다. 외식업은 진정성이 있어야 한다. 하루아침에 신데렐라가 될 수 없다.

브랜드의 명성이나 가치보다 더 중요한 것은 브랜드를 지속해서 발전시켜 나갈 수 있는 디테일이다. 일부 연예인이 자신의 이름을 앞세워 프랜차이즈 본사를 홍보하거나 심지어 소유주 행세를 하는 경우가 많다. 만약 이들의 인기가 급락하거나 음주나 도박, 성추행 등의 비도덕적인 사건에 연루되기라도 하면 바로 가맹점 영업에 타격을 주어 하루아침에 폐업하는 사례도 부지기수다. 이들의 인기를 믿고 전 재산을 털어 넣는다는 것은 너무나도 위험한 일이다. 전문가의 조언에 귀 기울이고 본인이 체크리스트를 만들어 옥석을 가려야 한다.

어떤 기준으로 업종을 선택하는 것이 유리할까. 한식 업종을 선택하는 것이 낫다. 우리나라에 수없이 많은 식당이 있지만, 전체 식당 수 대비 한식이 차지하는 비율은 70%가 넘는다. 그만큼 한식은 늘 우리가 편안하게 접하는 음식이고 입점 위치에 따른 제약이 상대적으로 까다롭지 않다. 일본에서 대박 난 우동 전문점이 하나같이 한국에선 힘을 쓰지 못하는 건 우동은 간식이지 주식이 아니기에 영업 회전율이 나오지 않아 지속적인 매출 상승을 기대하기 어렵기 때문이다.

상대적으로 창업 비용이 적게 들고 권리금, 보증금, 임대료가 입지에 따른 제약을 덜 받는 한식 업종을 선택하는 것이 커피숍, 베이커리, 이탈리안 레스토랑 등 전문 업종보다 덜 위험하다. 영업 부진 시 메뉴 변경이 쉬워

최악의 경우 탈출할 수 있는 가능성도 높다.

다음으로는 사계절 영업이 가능해야 한다. 2014년을 풍미한 팥빙수 전문점은 유사 브랜드가 30여 개가 넘을 정도로 창업 시장을 뜨겁게 달구었지만, 지금은 대부분이 폐업했다. 대만 카스테라, 슈니발렌 전문점, 마라탕 점 등 뜨자마자 사라진 반짝 아이템도 너무나 많다.

성별, 연령별 호불호가 강한 아이템은 피해야 한다. 한 쪽으로 치우치는 메뉴군으로는 고객 수를 늘리는 데 한계가 있다. 되도록 전 연령층에서 선호하고 남녀가 공히 좋아하는 메뉴로 대결해야 한다.

식사 시간대가 광범위한 업종이 좋다. 돈가스 전문점이나 양식의 경우 새벽이나 아침부터 이용할 수 없고 고깃집도 저녁 한 타임만 반짝한다. 물론 인건비나 운영비를 고려해 정확한 타깃을 정해 저녁 장사만 집중할 수도 있겠으나 때를 가리지 않고 언제나 고객이 이용 가능한 메뉴군을 선택하는 것이 좋다.

주방장 의존도가 높거나 인력이 상대적으로 많이 들어가는 업종을 선택하는 것은 위험하다. 인건비를 최소화할 수 있는 시스템으로 운영하려면 메뉴가 단순해야 하며, 전문 기술보단 대중이 보편적으로 선호하는 아이템이 좋다.

트랜드에 민감한 아이템은 철저히 피해야 한다. 식당업은 한때 스치듯 지나가는 유행이 아닌 지속 가능한 아이템이어야 한다. 안동찜닭, 닭강정, 스몰비어, 빙수 카페, 요구르트 등 매년 창업자를 울리고 사라지는 반짝 아이템보단 어떤 변화에도 민감하지 않은 스테디셀러 메뉴를 잘 선택해야 실패를 줄일 수 있다.

판매 가격대 혹은 일 인당 지불할 수 있는 소위 객단가가 1만 원 미만이어야 한다. 외식 선진국인 일본과 미국에서도 가장 호황을 누리는 식당은 객단가가 7,000~8,000원 수준에서 고객을 만족하게 하는 데 집중하고 있다.

초기 창업 비용이 많이 들어가는 아이템은 피해야 한다. 크게 투자해 많이 번다는 생각은 애초부터 하지 말아야 한다. 외식업은 대부분은 임대해 창업하고 임대 기간이 짧기 때문에 투자비가 많으면 원금을 회수하는 것이 어려운 사업이다. 만약 창업 비용이 3억 원이라면 모든 비용과 세금을 공제하고 한 달에 1,000만 원을 번다 해도 30개월이 지나야 투자비 회수가 가능하다. 그런데 경쟁 구도 속에서 월 1,000만 원의 순이익을 올리는 업종을 찾는 것은 어려운 일이다. 눈에 보이는 이익금보다 많이 남길 수 있다는 이익률에 현혹되기보다 얼마 만에 투자 원금을 회수할 수 있는지부터 우선 따져 봐야 한다.

위에서 언급한 8가지 업종 선택 기준은 대박을 위한 기준이 아니다. 최소한 창업할 때 폐업 리스크를 줄이는 절대적인 체크 포인트다. 이런 기준에 맞는 메뉴와 업종이 어디에 있느냐 반문하겠지만, 그래서 식당을 해서 성공하기란 어려운 것이다. 끊임없이 확인하고 탐구하고 연구해야 한다. 전문가와 상담하고 성공과 실패 사례를 꾸준히 탐색해야 한다.

성공도 중요하지만, 실패 요인을 사전에 점검하고 차단하는 것이 더 중요하다. 브랜드의 명성에 현혹되어 창업하기보다 **철저한 시장 조사를 바탕으로 폐업 리스크를 줄이는 '디테일 창업'**을 해야 한다.

17. 주방장만 믿고 운영하면
폐업을 각오해라

근로 시간 단축, 주 5일 근무제 도입, 최저 시급 상승 등의 영향으로 창업 시장이 더 얼어붙고 기존 자영업자들의 폐업이 속출하고 있다. 그런데도 매년 새로운 식당이 문을 열고 많은 식당이 문을 닫는 반복이 일상화되고 있다.

얼마 전 한 지자체에서 주관하는 푸드 플랫폼 구축 회의에 자문위원으로 참석한 적이 있다. 지역을 개발해 전국적인 창업 메카로 만들겠다는 기획이었는데, 그 안에 창업아카데미 설립안도 포함돼 있었다. 창업아카데미 교육생으로 누구를 선발할 것인가 하는 문제가 대두했을 때, 어떤 어려움도 이겨낼 수 있는 절박한 사람을 우선 선발해야 한다는 의견을 제시했다.

외식업은 막장이라 표현할 만큼 온종일 서 있어야 하는 고된 중노동이며, 다양한 고객을 상대해야만 하는 감정 노동의 대표적인 영역이기 때문이다. 반드시 일어서

고야 말겠다는 절박함이 없는 사람을 선발해 현장에 투입하면 몇 개월을 버티지 못하고 중도에 포기하기 쉽다.

대학 동기 중에 부산에서 25년째 조그마한 중국집을 운영하는 친구가 있다. 일찍 부모님을 여의고 형님 집에서 기거하며 어렵게 대학생활을 한 친구였다. 대학에서 관광경영학을 전공한 친구는 부산의 한 호텔 중식당 웨이터로 첫 직장 생활을 했고 특유의 성실함을 인정받아 몇 년 만에 부산 소재 특급 호텔 중식당의 지배인이 됐다.

회사가 어려워지고 여러 가지 이유가 겹쳐 퇴사한 이후에는 직장생활을 하면서 모아 둔 돈으로 10평이 되지 않는 작은 중국집을 학교 앞에 차렸다. 처음에는 주방장을 채용한 형태의 영업을 했는데, 이 주방장이 장사가 조금 안정이 될 만하면 술을 마시고 식당에 갑자기 나오지 않거나 월급을 자꾸 올려달라며 애를 먹이는 통에 정상적인 영업을 할 수 없는 지경에 이르렀다. 그래서 그는 직접 중화 요리를 배웠고 각고의 노력 끝에 요리를 직접 할 수 있게 되었다. 그리고 장화를 신고 주방에 직접 들어가 혼자서 음식을 만들기 시작했다. 주방장을 채용해서 운영할 때에 비하면 그 고생은 말할 수 없을 만큼 힘들었지만, 주인이 직접 온 정성을 기울여 만든 음식이 서서히

호평을 받으면서 영업이 잘되기 시작했다. 한 달에 한 번만 쉬면서 무려 25년간 죽을 힘을 다해 고객을 위한 음식을 만들어 낸 친구의 가게는 날로 번창했다. 지금은 4층 규모의 건물주가 됐는데도 여전히 혼자서 1층 주방에 들어가 음식을 만들고 직접 운영하고 있다.

얼마 전 부산에 갈 일이 있어 친구의 중국집에 들러 이렇게 25년을 혼자 주방에서 땀을 흘렸으면 이제 주방장을 채용하고 조금 편하게 운영하는 게 어떠냐고 권했다. 친구는 단호하게 "그렇게 운영하면 고객이 먼저 안다"라고 말하며 고개를 저었다. 내 식당을 운영하면서 내가 직접 재료를 고르고 정성을 기울여 음식을 만들지 않으면 그 식당은 절대로 오래갈 수 없다며, 힘이 달려 더는 요리를 할 수 없는 지경에 이르르면 그때 문을 닫을 것이라 했다.

식당을 하면 입에 풀칠이야 하지 않겠느냐 하는 생각으로 자신은 카운터에 앉아 있고 주방장을 고용하며 대충대충 경영하는 식당은 당연히 망할 수밖에 없다. 더군다나 직장에 다니면서 프랜차이즈 업체에 모든 것을 맡기고 오토매틱 운영을 하는 폼 나는 창업은 문을 열 때 이미 폐업을 한 것이나 마찬가지다.

친구에게 창업은 생존이었다. 망하면 바로 끝장인 상황에서 친구는 스스로 중화 요리를 배웠고 본인이 직접 음식을 만들어 낼 수 있는 수준에 도달됐을 때 다시 문을 열어 무려 25년간 홀로 주방을 지켰다. 그런 각오와 노력이 있었기에 학교 앞에 그 많은 중식당이 문을 열고 닫는 반복을 할 때도 그 오랜 시간 고객들로부터 인정받으며 자기 이름의 건물까지 갖는 성공을 이뤘다.

음식점이 맛이 없으면 친형제도 다른 집으로 먹으러 간다. 그만큼 냉정하다는 뜻이다. 한 집 건너 한 집이 식당인 과잉 공급 시장에서 고용 주방장이 성의 없이 만들어 내는 요리로 창업이 성공할 리가 있겠는가. 굳이 식당업을 해야 한다면 자기 스스로가 음식을 배워 창업해야 성공 확률을 높일 수 있다.

친구는 조심스럽게 22살인 해병대에서 갓 제대한 막내아들에게 자신이 25년을 가꿔온 중식당을 물려줄 생각을 한다고 얘기했다. 당연히 아들이 주방에 들어와 모든 음식을 배울 때까진 자신이 주방을 지키겠노라고 말했다. 그렇게 대를 이어 운영하며 식당 문을 닫지 않는 것이 고객들로부터 받은 사랑을 갚는 길이 아니겠냐고 했다.

식당을 여는 일은 누구나가 할 수 있다. 하지만 이런

절박한 마음 없이 성공은 기대할 수 없다. 굳이 어려운 막장 같은 식당업에 뛰어들겠다면 모든 걸 내려놓고 주방에 들어가야 한다. 자기 손으로 조금이라도 더 신선한 재료를 구매하고, 내 가족이 직접 먹는다는 정성으로 직접 음식을 만들어 고객을 맞이한다면 반드시 그 식당은 성공을 거둘 것이다. 내게도 편한 길은 남에게도 편한 길이다. 성공은 대충해서 오지 않는다.

18. '구운 인절미' 파는 교토 이 식당, 어떻게 1,000년을 이어 왔나

얼마 전 중국 쓰촨성 한국 대표처의 임원과 미팅을 하면서 중국 8대 요리 중 하나인 쓰촨 요리점을 한국에 들여 오는 컨설팅을 수행한 적이 있다. 오늘날 전 세계적으로 유명한 마파두부의 원조인 '진마파'는 100년이 넘은 맛집으로 아직도 쓰촨성의 수도인 청두에서 호황을 누리고 있다. 쓰촨성에서 중국 훠궈의 대부격인 쓰촨 훠궈집과 전통 요리점 등 백 년이 넘은 가게가 수십 곳이 넘는 것을 보고 놀란 적이 있다. 쓰촨성 한 곳이 이럴 진데 중국 전역으로 확대하면 백 년 넘게 명맥을 이어 가며 아직도 많은 사람으로부터 사랑받는 백 년 식당은 아마도 수백 개가 넘을 것으로 여겨진다.

가까운 일본을 보면 더 오래된 식당들이 즐비하다. 일본에서 교토 상인을 '아킨도'라 부른다. 아킨도는 특별한 경영 비법을 가진 상인 중의 상인이라는 뜻이다. 이 아킨도 중 으뜸은 구운 인절미 하나를 24대에 걸쳐 1,008

년을 이어 오며 아직도 영업 중인 '이치와'라는 점포다. 1,008년 영업이 끊어지지 않는 이치와인데도 일본의 노포 점포 중 역사가 3위라는 사실은 충격적이다. 물론 일본에 백 년 식당은 셀 수 없을 만큼 많은 게 사실이다.

어떻게 그 오랜 세월 명맥이 끊어지지 않고 내려왔냐고 물으면 자식에게 물려주지 않고 제일 잘하는 사람에게 물려주기 때문에 가능하다는 답변이 돌아온다. 자식도 친족도 아닌 제일 잘하고 제일 실력 있는 사람에게 점포를 물려주고, 그 사람이 나이가 많지 않아도, 좋은 대학을 나오지 않아도, 심지어는 10대라도 그 당대에 이치와를 제일 잘 계승할 사람에게 물려주기에 천 년을 이어왔다고 말한다. 소름 돋는 얘기다.

우리나라에 백 년 넘은 식당, 아니 기업이 몇 개나 있는가. 오죽하면 부자도 삼대가 지나면 망한다는 격언이 있다. 아마도 대부분의 식당은 자식이나 며느리가 물려받아 운영하지 주방장이 물려받았다는 얘기를 들은 적이 없다.

창업 시장은 대부분 먹고 먹히는 치열한 정글이다. 겉으로 나타나는 유명세를 보고, 실력 없는 그들이 건네는 명함을 보고, 노련한 경력 운운하는 입담을 보고 재산을 쏟아 넣어서는 절대로 성공할 수 없다. 우리나라에도 찾아보면 백 년은 되지 않았지만 혼신의 힘을 다해 오직 고객만 바라보며 달려온 아주 괜찮은 노포 식당들이 꽤 있다. 간판도 없고 차도 잘 안 다니는 외진 곳에 있으며 규모도 너무 작아 하루에 많은 손님을 받을 수 없지만, 묵묵히 음식 하나에 모든 것을 걸고 운영하는 그런 노포 식당을 찾아내 전수받으면 이 치열한 정글에서 그나마 생존율을 높일 수 있다.

실력을 갖추지 않으면 창업하는 순간 폐업을 각오해야 한다. 문을 열기는 쉽다. 그 문을 언제까지 열 수 있는가는 본인에게 달려 있다. 판단도 자기의 몫이다. 제일 잘하는 사람에게 물려주었기에 1,008년을 이어온 이치와처럼 제일 잘할 수 있는 것을 살려 실력을 갖추고 고객을 맞이해야 한다. 비단 식당뿐 아니라 세상 사는 이치가 그렇다는 얘기다.

19. 영업은 숫자로 얘기해라

매출을 올리기 위해 합리적으로 생각하는 것은 모든 관리 업무를 계수 감각에 의해 파악하고 실천하는 것이다. 왜냐하면 모든 관리 업무의 결과는 숫자로 나타나기 때문이다. 얼마나 벌었나 하는 것은 얼마나 고객을 만족하게 했는가 하는 것인데, 이는 매출과 이익으로 확인할 수 있다.

이렇게 말하면 왠지 숫자에만 얽매여 인간다움이 없는 경영자의 모습이 떠오를지도 모른다. 예를 들면 종업원을 생각하는 경영자라면 어떻게든 종업원의 급료를 올려주고 싶다고 생각할 것이다. 노동 시간이나 노동 일수도 줄여주고 노동 환경도 개선해 주고 싶을 것이다. 그러나 매출이 늘어 이익이 늘어나지 않는 한 경영자는 대우 개선을 해주고 싶어도 할 수 없다.

일반적으로 식당의 매출은 경영자의 능력에 따라서 10~20%의 차이가 난다고 한다. 이것은 필자의 현장 경험에서도 틀리지 않다고 할 수 있는 사실이다. 이 정도의 차이면 이론상으로는 올바른 경영자의 식당과 그렇지 않은 경영자가 운영하는 식당은 매출 차이가 40%가 난다. 이익의 차이는 더 크다.

그러나 현실에서는 계수 관리는 어렵고 서툴다며 꽁무니를 빼는 경영자가 많다. 그것을 어렵다고 느끼는 것은 결국 익숙하지 않기 때문이다. 우선 필요한 계산은 가감승제(+- × ÷)다. 처음에는 시작하기 어려워도 끈기 있게 노력하면 누구라도 할 수 있게 된다. 웨이터의 일과 마찬가지로 반복 연습이 중요하다.

계수 감각을 키우면 종업원 관리와 같이 직접 숫자와 관련이 없는 사항에 대해서도 관리 정도가 훨씬 높아진다. 사물을 분석하고 합리적 판단을 한 뒤 적확한 답안이나 대책을 끌어내려고 하는 논리적인 사고가 몸에 갖춰지기 때문이다.

이익에 관한 2개의 식

경영자의 최종 책임은 이익 목표의 달성인데 이 이익에 대한 사고방식은 다음 2개의 식으로 나타낼 수 있다.

① 매출 - 비용 = 이익

② 이익 = 매출 - 비용

언뜻 보면 이 둘은 아무 차이가 없는 것처럼 보일지도 모른다. 단순한 등식의 우변과 좌변을 바꿔 놓은 것이기 때문이다. 그러나 경영이라는 사고방식에서 보면 이 2개의 식에는 근본적으로 차이가 있다.

①의 사고방식은 한마디로 말하면 이익이란 '매출에서 재료비, 그리고 기타 경비를 제한 나머지'다. 소위 '결과 중시'로 전형적인 견실치 못한 장사 감각이다. 한편 ②에는 목표 이익을 확보하기 위해서 매출은 얼마가 필요하고 경비는 얼마나 줄이지 않으면 안 된다고 하는 예측이 있다. 이 예측을 계수적인 시점에서 갖는 것이 경영의 기본이다.

경영은 지출과 수입의 반복이다. 거기서 확실하게 이익을 창출해 내기 위해서는 매출을 크게 하는 노력과 원가를 적정한 범위로 제한하기 위한 관리가 필요하다. 여기서 이번에 새로 개업하는 식당의 경영자가 된다고 가정하고 식당의 원가에 대해서 생각해 보자.

식당을 개점하기 위해서는 식당의 보증금과 내장 공사

비, 제반 설비 등의 비용이 든다. 그리고 영업을 개시하면 재료비, 인건비, 수도 광열비 등의 비용 외에 개업 비용으로 조달한 차입금의 원금 상환분도 지불하지 않으면 안 된다. 이익은 이것의 지출을 초과하는 금액의 매출이 있어야 비로소 확보할 수 있다. 바꿔 말하면 원가 의식을 철저히 하는 것이 우선이다.

앞에서도 이야기했지만 비용은 고정비와 변동비로 나뉜다. 고정비란 글자 그대로 매출의 증감과 관계없이 고정적으로 필요하고, 가령 매출이 '0'이라 해도 영업하고 있는 한 지불하지 않으면 안 되는 비용이다. 대부분 식당에서 대표적인 고정비는 인건비와 임차료다. 인건비는 규정에 정해져 있는 범위 내에서 휴일이 있어도 그 일수와 관계없이 일정액을 지불하지 않으면 안 된다. 임차료도 영업 일수, 시간에 관계없이 발생한다.

따라서 매출이 여의치 않을 때 고정 비용은 꽤 큰 경비 부담이 된다. 또 큰 고정비 중에 감가상각비가 있다. 감가상각비란 식당의 설비에 필요한 비용을 법정의 내용 연수에 준해 매년 비용으로 떨어져 나가는 비용이다. 내장과 설비는 몇 년에 걸쳐 사용이 가능한 고정 자산이다. 그것을 사용해 몇 년에 걸쳐 이익을 얻을 수 있다. 따라서 내장 공사와 기기를 구입한 해에 한 번에 비용으로 처리하는 것은 불합리하므로 사용 기간(내용 연수)으로 나눠 처리하는 것이다.

따라서 장부상에는 비용으로 처리되고 있지만 타 비용처럼 실제로 돈이 지출되는 것은 아니다. 이미 고정 자산의 취득 시에 돈은 지급되었기 때문이다. 그 때문에 기업에 내부 유보된 돈이라고 하는 것이 된다. 실제로는 차입금의 원금 상환에 해당하는 것이 일반적이다. 이 감가상각비에 세금 공제 후 이익을 더한 금액을 캐시플로(cash flow)라고 부른다. 또 이자 비용도 매월 반드시 갚지 않으면 안 되는 고정 비용이다.

한편 변동비란 고정비와는 반대로 매출의 증감에 따라 지출되는 비용을 말한다. 대표적인 경비는 재료비가 있고 그밖에 인건비의 일부와 시간제 종업원, 아르바이트 인건비, 제반 경비가 있다. 여기서 주목해야 하는 것은 인건비의 분해다. 종래 인건비는 고정비로 생각됐지만, 그것으로는 적정한 비용 조절을 할 수 없기 때문에 최근에는 고정비와 변동비 양쪽의 성격을 모두 갖춘 준변동비로 취급한다.

예를 들면 사원 3~4인만으로 운영하는 소규모 식당이

라면 인건비는 거의 고정비로 취급될 수밖에 없다. 그러나 종업원의 총노동 시간에 차지하는 시간제 종업원, 아르바이트의 노동 시간 비율이 높아질수록 인건비는 준고정비 성격이 강하게 된다.

인건비라고 하면 다양한 명목의 비용이 있다. 보통 인건비라고 하면 떠오르는 것은 정규 직원들의 기본급, 수당에 시간제 종업원, 아르바이트의 급여 정도이겠지만 그 외에 상여금, 퇴직금, 법정 복리후생비, 교육비, 구인 비용도 인건비에 포함된다. 따라서 사람을 한 명 쓴다는 것은 비용이 많이 드는 일이다. 특히 정규 직원의 경우 시간급으로 환산하면 시간제 종업원, 아르바이트의 2~2.5배가 되는 것이 보통이다. 이 의미에서 인건비의 변동 비화(시간제 종업원, 아르바이트 비율을 높이는 것)는 이익을 창출하는 중요한 포인트가 된다.

관리 가능 비용 중에서 가장 큰 것은 인건비이다. 인건비에 대해서 철저한 원가 의식을 갖는 것이 경영자 관리의 시작이다. 우선, 고객 수에 따른 인원 태세를 얼마나 정확하게 조절할 수 있는가. 그리고 사원의 총노동 시간을 얼마나 줄이고 가능한 한 시간제 종업원, 아르바이트의 노동으로 대체해 꾸려 갈 수 있도록 하는가를 따지는 게 중요하다. 즉 인건비의 변동 비화야말로 경영자의 역량을 여실히 나타낸다.

재료비나 수도 광열비에 관해서는 주방장과 조리 담당자의 협력이 없으면 안 되지만 비용 조절 추진의 원동력은 뭐니뭐니해도 경영자의 원가 의식과 리더십이다. 철저한 원가 의식을 갖는 것은 경영자 관리의 기본이다.

영업은 숫자로 얘기해야 한다. 영업의 결과에 대해 어떠한 변명도 미사여구도 필요 없다. 단, 지속 가능한 이익을 창출하기 위해선 고객 만족의 토대 위에서 모든 경영 활동이 이뤄져야 한다. 장사가 조금 잘된다고 해서 제공되는 메뉴의 질을 떨어뜨리는 경영주가 많은데 초심을 잃는 그 순간부터 가게는 무너져 간다. 고객 지향적 경영 마인드와 철저한 원가 의식을 갖춰야 비로소 성공이 보임을 명심하자.

20. 외딴 곳인 데도 손님 줄 선
보리굴빗집의 성공 비결

　20여 년 동안 보리굴비와 건강 밥상 메뉴로 영업을 하는 곳이 있다. 접근성이 그다지 좋지 않은 곳임에도 불구하고, 손님이 끊임없이 들어오고 대기가 이어져 의아하게 생각했는데 한 시간 정도 머물며 식사를 하는 동안 그 성공의 비결을 알 수 있었다.

　우선 주인이자 요리 연구가인 사장이 20여 년 동안 항상 식당을 지키고 있으면서 새벽부터 모든 반찬을 손수 만들고 식사를 하는 동안 불편함은 없는지, 간은 맞는지 쉴 새 없이 손님들의 반응을 살피며 돌아다니고 있었다. 가격 대비 너무 많은 반찬과 가성비 높은 음식이 나오기에 "이렇게 해서 수지를 맞출 수 있나요, 원가는 어느 정도 나오나요" 등의 질문을 하자 조금의 망설임도 없이 "손님이 있어야 원가가 있는 거 아닐까요"라는 답변이 돌아왔다.

　또 사장은 카운터 입구에서 반찬도 팔고 있었는데, 나

이 드신 어르신들에게는 쌀과자 등 주전부리를 통 크게 듬뿍듬뿍 담아서 무료로 건네기도 했다. 본인 얘기대로 경영을 제대로 배운 것도 아니고 이론을 체계화한 적도 없지만, 고객이 존재해야 그다음에 이익이 따라온다는 신념을 갖고 한결같은 마음으로 고객 중심 영업을 하고 있었다.

식당을 차리면 제일 먼저 문을 닫는 순서가 주방장 출신, 재무, 경리 출신이라는 말이 있듯 메뉴에 대한 판매가를 정할 때 너무 원가 중심의 판매가를 정하는 것은 위험하다. 기업이든 식당이든 제품을 구매하는 고객이 존재하는 구조에선 고객 중심의 판매 가격을 우선으로 하는 전략이 중요하다.

물론 이익을 내어야 기업이 존속하지만 눈앞에 보이는 이익에만 몰두한 판매 가격을 정하는 것은 지속적인 성공을 보장할 수가 없다. 20여 년을 하루도 빠짐없이 매일 현장에 나와 고객에게 맛있고 질 좋은 음식을 만들어 내고 대접했기에 차도 다니기 힘든 외진 곳에 있는 그 보리굴빗집은 매일 문전성시를 이루고 있다. 원가는 철저하게 분석해 잘 맞추어 놓았는데 정작 손님이 없으면 무슨 소용이 있겠는가.

예전에 샤부샤부 브랜드를 전국적으로 세팅하는 컨설팅을 한 적이 있는데, 창업을 희망하는 예비 점주들을 만나면 열이면 열 모두 똑같은 질문을 한결같이 한 것이 "원가는 몇 프로입니까"였다. 외식업에서 원가는 인건비, 임대료 등 매출과 관계없이 매월 고정적으로 지급되는 고정비와 식재료비, 수도 광열비, 아르바이트비 등 매출에 연동해서 변하는 변동비가 있다. 고정비든 변동비든 경영 비용보다 더 중요한 것은 매출이다.

원가를 합리적으로 통제하고 예측하는 것도 물론 중요하지만, 그 이전에 고객을 많이 유입하게 하여 매출을 최고치로 상승시키는 전략이 우선돼야 한다. 그러기 위해서 가장 중요한 것이 음식업의 본질인 메인 상품에 대한 고객의 만족도. 모든 의사 결정을 할 때 고객의 만족도를 제일 먼저 고려해야 한다.

식재료비 30%, 인건비 22% 하는 고정된 생각으로 식당을 경영하면 백전백패한다. 신선하고 질 좋은 재료를 충분히 음식에 사용하고 차별화된 맛을 유지하면 손님이 안 올래야 안 올 수 없다. 당연히 재료비는 30%를 넘어선다. 재료비와 인건비를 합해 52% 사용한 식당이 있다면 재료비 37%, 인건비 15%를 사용하는 시스템을 만들고 유지하는 전략을 구사해야 한다. 전체 원가는 동일하지만 5% 이상 더 투입된 재료비로 인해 식사의 질은 높아질 것이고, 그것이 바로 고객 만족으로 직결되기 때문이다. 몇 퍼센트를 남겼느냐가 중요한 게 아니라, 얼마를 벌었느냐가 중요하다. 즉, 이익률 중심이 아닌 이익금 중심으로 경영해야 치열한 경쟁에서 살아남을 수 있다는 의미다.

식재료 투입 원가를 너무나도 잘 아는 주방장 출신이 식당을 차리면 별로 성공하지 못하는 이유가 여기에 있다. 매일매일 숫자만 따지던 경리, 회계 출신이 식당을 해서 성공하기가 힘든 것도 같은 이치다. 외식업은 고객이 존재해야만 존속할 수 있는 감성 산업의 복합체이기 때문이다. 장부만 쳐다본다고 성공할 수가 없다. 머리로 따지기 전에 마음으로 고객에게 다가서야 한다. 진심으로 하루하루에 최선을 다하면 결국 고객이 먼저 알고 찾아온다.

중국 속담에 '酒香不伯 巷子深(주어쌍 부파 쌍즈 썬)', 즉 술 향기가 깊으면 골목 끝에 있어도 두렵지 아니하다는 격언이 있다. 외식업에 있어서 반드시 새겨들어야 할 말이다.

21. 인사 담당 회사원이 퇴사 후 고깃집 차리면 망하는 이유

　얼마 전 함께 근무했던 선배로부터 연락이 왔다. 그 선배는 대기업 인사 부서에서 수십 년을 근무하고 임원으로 퇴임 후 고깃집을 차렸다. 창업할 때도 아무 소식이 없었고, 그동안 연락도 없기에 잘하고 있는 줄로만 알았다. 선배의 갑작스레 만나자는 말에 의아해하며 매장을 방문했다.

　매장을 오픈한 지 3년이 지났지만 오픈 초기를 제외하곤 계속 하락세를 면치 못한다며, 왜 손님이 없는지 원인을 모르겠다고 진단을 의뢰했다. 선배의 식당은 입지도 좋은 편이었고 메뉴 선정이나 맛, 가격 모두 크게 문제될 게 없을 만큼 안정적이었다. 그런데도 매출이 지속해서 꺾이는 원인이 뭘까 고민하면서 손님이 제일 많은 시간인 저녁을 골라 몇 시간 지켜보았다.

　처음 매장을 방문했을 때 느꼈던 첫인상은 근무하는 종업원들의 표정이 이상하리만큼 굳어 있다는 느낌이었다. 몇 시간을 매장에 머물면서 지켜보니 매장에 손님이 있든 없든 선배가 계속해서 종업원들을 지적하고 야단을 치고 있었다. 상부에서 하부로 명령만 내리꽂는 대기업 임원 출신의 몸에 밴 톱다운 업무 지시가 그대로 나타났다. 그러면서 정작 본인은 함께 움직이며 업무를 하는 것이 아니라, 손님이 조금 없으면 카운터에서 신문을 보거나 스마트폰을 보면서 직원들과는 동떨어져서 있었다.

진정한 리더십은 관리하지 않고 리드하는 것이다. 그 리드의 핵심은 먼저 솔선수범하고 배려하는 것이다. 선배는 인사 출신답게 종업원들을 관리하려고만 달려드니 직원들 얼굴에 수심이 가득했다. 그런 마음가짐으로는 마음에서 우러나오는 고객 서비스가 나올 리 만무했다. 직원들이 완전히 가라앉아 있는 불편한 식당에 고객이 찾아올 리가 없었다.

국내 최대 인력 아웃 소싱 회사인 삼구아이앤씨 구자관 회장은 50년 전 청소 도구 하나로 사업을 시작해 직원 수 35,000명, 연 매출 1조5,000억 원의 회사로 키워 냈다. 회사에는 26개 계열사가 있는데 철저하게 공채 출신에 계열사 대표를 맡기고 책임 경영을 실천하며 한 번도 경영에 간섭하거나 지침을 주는 일이 없다고 했다. 이유는 신입 사원부터 대표 자리에까지 올라온 그들이 본인보다 더 디테일하고 치밀한 업무 파악 능력과 위기 대처 능력이 있는데, 회장이 잘 알지도 못하면서 명령을 계속 하달하면 그게 더 위험하다는 생각 때문이었다. 대신 회장은 사람 채용과 신규 사업 결정 시에만 책임을 지고 사인했다. 이는 사람을 잘못 뽑아 문제가 나거나, 신사업 결정을 잘못해 회사에 손실을 냈을 때 그 일로 수십 년 키운 대표를 내보내는 결과를 초래하면 안 되기 때문이다. 책임질 일은 자신이 맡고, 계열사 대표는 자기 전문 영역에서 소신껏 경영에만 몰두하게 한다는 것이다. 회장 명함도 대표 책임 사원으로 되어 있고, 철저하리만큼 낮은 자세로 대표 이사를 서포트하는 경영을 펼치고 있다.

교육 사업을 하는 SY에듀 정상윤 대표는 천여 명의 직원을 거느린 중견 기업으로 회사를 키워 냈다. 정 대표는 전문 인력의 적재적소 영입과 그들에게 모든 권한을 위임하는 책임 경영, 직원들 처우 개선에 주력한 결과가 회사를 발전시켰다고 얘기한다.

한번은 한 회사를 방문한 적이 있다. 본인이 오너지만 경영 능력이 출중한 대기업 대표 출신을 회장으로 앉혀 본사의 가장 큰 방을 회장에게 내주고, 본인은 팀장석에

앉아 업무를 보고 있는 모습을 봤다. 또 영업 사원들에게 지급되는 수당을 업계 평균인 45%가 아닌 80%를 지급하고, 직원들이 퇴사 이후 살아갈 수 있는 대안을 찾아주려고 끝없이 연구하고 실천한다. 임직원이 똘똘 뭉친 그 회사가 업계에서 고속 성장한 것은 물론이다.

2003년 73세의 나이로 맥도널드 시니어 취업 알바생으로 입사한 임갑지 할아버지가 만 17년을 맥도널드에서 근무하고 91세인 지난달 퇴사를 했다는 보도를 접했다. 할아버지는 집에서 20㎞가 넘는 양주역에 위치한 직장을 다니면서 한 번도 지각이나 결근을 한 적이 없었다고 한다. 그에게 어떻게 오랜 시간 근무할 수 있었냐고 물으니, '수처작주 입처개진(隨處作主 立處皆眞)'이라는 명쾌한 대답을 내놓았다. 어느 곳에서나 주인이 되어 살면 그곳이 곧 진리의 자리라는 뜻이다. 매사에 주인처럼 일하면 즐겁다는 의미로 들려왔다.

기업이든 식당이든 좋은 직원을 데리고 있는 것은 큰 장점이다. 특히 서비스업에서는 직원 한 명 한 명이 주인처럼 매장을 관리하고 친절하게 고객을 맞이해야만 다시 그 고객이 재방문하고 또 다른 고객을 데리고 온다. 아무리 맛이 좋고 입지가 좋은 식당도 직원에게 받은 불쾌한 서비스 하나로 다시는 찾지 않는 결과를 초래한다.

그처럼 매사에 주인처럼 즐겁게 일하는 직원을 많이 갖기 위해서는 그들이 주인처럼 일할 수 있는 환경을 만들어 줘야 한다. 직원을 인격적으로 대하고 자신들이 대접받고 있다는 생각이 들 만큼 먼저 배려해야 한다. 일하는 것이 의무가 아니라 신나서 일할 수 있게 해야만 고객 서비스로 선순환되는 것이다.

주인이지만 한없이 낮은 자세로 함께 동화되고 같이 일해야 한다. 함께 상생하지 않고는 이 치열한 경쟁 구도 속에서 기업을 존속시킬 수 없다. 주인처럼 일하는 직원을 갖고 싶다면 직원을 주인처럼 대해야 한다. 그런 마음을 가져야만 살아남을 수 있다. 성공과 실패는 그 누구도 아닌 본인에게 달려 있다.

22. 좋은 입지가 성공의 첫걸음이다

음식점 창업에서 좋은 목을 고르면 성공의 기반을 잘 다진 것이다. 좋은 입지의 식당은 그 자체로서 많은 고객에게 노출되기 때문에 상대적으로 성공할 확률이 높지만 그런 자리를 고르기가 어렵다. 장사가 잘되는 지역은 대개 높은 임차료에다 권리금까지 붙는다. 매물도 많지 않다. 그래서 '명당'을 찾으려면 발품이 필수다.

외식업도 다른 업종과 같이 판매 상품(메뉴)의 소비 인구가 많고, 주변 상권이 발달한 곳을 목 좋은 곳으로 꼽는다. 버스 노선 5개 이상의 정류장 50m 이내, 편도 2차선 이상 도로의 200m 이내, 고정 인구 2만 명 또는 세대수 5,000가구 이상의 지역, 2,000세대 이상 아파트 밀집지역, 대학 정문 300m 또는 후문 100m 이내, 10층 이상 건물 20개 이상의 지역 등이다.

입지를 선택할 때 자금이 부족하다고 입지가 안 좋은 후면 장소를 고르기보다는 식당 크기를 줄이더라도 목이 좋은 곳을 선택하는 것이 좋다. 고객의 동선도 중요하다.

퇴근길 동선에 있으면 좋다. 점포 맞은편에 상권이 발달하지 않은 경우는 피하고 건널목 위치 등을 고려해야 한다. 높은 지대보다는 낮은 지대가 유리하다. 남향보다는 오히려 북향이 좋은 편이다. 밖에서 식당 안이 잘 들여다보이기 때문이다. 또 늦은 오후 네온사인 불빛이 북향에서 더 잘 보여 손님의 시선을 끈다. 점포 맞은편에 상권이 발달하지 않은 경우는 피하고 건널목 위치 등을 고려해야 한다.

아무리 사람들로 북적이는 상권에 식당을 내더라도 손님이 안 들면 어려워진다. 그러므로 창업하는 업종과 상권의 궁합이 맞아야 실패를 줄일 수 있다. 고객의 특성이나 소비 성향과 잘 맞는지 궁합을 따져보도록 하자. 이를 위해선 상권 조사가 필수적이다. 상권 조사에서는 누가(Who), 어디에(Where), 어떻게(How) 등 세 가지 요소를 고려해야 한다.

상권 내 거주하는 사람이나 근무하는 사람은 누구인가(Who), 고객의 활동 지역은 어디인가(Where), 상권의 특성과 인구는 얼마나 영향을 주는가(How) 등이다. 예컨대 Who를 생각하지 않고 식당을 열면 음식 가격이 상권 내 소비자의 소득 수준보다 비쌀 수 있다. 그 결과는 따로 말할 필요도 없다.

또 식당을 기준으로 1차 상권과 2차 상권으로 나눠 본다. 1차 상권은 걸어서 5분 정도 거리(반경 500m) 내 지역이고, 2차 상권은 1차 상권 바깥에서 걸어서 10분 정도 거리(1㎞) 내 지역이다. 각 상권 안의 경쟁 업소를 그려 놓는다. 상호, 업종, 크기, 메뉴 구성, 가격대 등도 함께 표시한다. 그러면 수요가 어떨지, 마케팅을 어떻게 해야 하는지 보일 것이다.

식당을 창업하면서 입지 선정은 아무리 강조해도 지나치지 않는다. 외식업을 포함한 환대 산업(hospitality industry)은 입지 산업이라고 할 정도다. 좋은 입지에 들어선 식당은 별다른 노력 없이도 위치 자체만으로 많은 고객을 끌어들일 수 있다.

그러나 목 좋은 자리를 고르기는 말처럼 쉽지 않다. 장사가 잘되는 명당을 찾기 위해서는 남보다 더 많은 노력을 기울여야 한다. 또한 손쉽게 접근할 수 있는 각종 부동산 사이트나 오랫동안 그 지역에 사는 역방 토박이와 상담하는 것도 오판의 리스크를 줄일 수 있다.

그렇다면 발로 뛰면서 보아야 할 명당 선정의 포인트는 무엇일까? 명당(좋은 입지)이란 우선 판매 상품(메뉴)

의 소비 대상 인구가 많아야 하며, 주변 상권이 활성화해 고객을 흡수할 수 있는 업종이 고루 분포된 곳이다. 또, 판매 상품의 객단가가 주변 소비자들의 소득 수준과 맞는 곳이어야 한다. 일반 판매 업종과 같이 역, 극장, 정류장, 쇼핑가, 전시장, 유명 관광지 주변도 명당이라 보아도 좋다. 이외에 아래의 내용의 후보지가 일반적인 식당이 입지하기에 명당일 수 있는 곳이다.

명당 후보지
- 버스 노선 5개 정도의 정류장에서 50m 이내
- 버스 종점 반경 50m 이내, 아파트, 주택 사거리
- 편도 2차선 삼거리 이상 도로의 200m 이내
- 반경 500m 이내에 동종 식당이 3개 이상 없는 곳
- 고정 인구 2만 명, 세대 수 5,000가구 이상의 소도시 지역
- 2,000세대 이상 대규모 아파트 및 주택 단지가 밀집한 곳
- 고교 이상 대학가 주변 정문 300m, 후문 100m 이내
- 주변에 10층 이상 건물이 20개 이상 밀집된 곳

23. 음식점 메뉴 가격, 어떻게 정할까

메뉴 가격을 결정한다는 것은 경영자적인 결단을 요구하는 가장 어려운 부분이다. 메뉴 가격에는 식당을 운영하는 데 필요한 모든 비용, 즉 식재료 원가, 인건비, 임대료, 수도 광열비, 광고비 등이 포함되어야 한다.

또한 경쟁사 가격 비교와 고객이 느끼는 가치를 고려해 메뉴 가격을 산정해야 한다. 오늘날에는 메뉴 가격 산정을 위해 컴퓨터를 이용하기도 한다. 푸드 서비스 경영 관련 소프트웨어 프로그램에는 가격을 산정하는 데 도움을 주는 기능이 있다. 메뉴별 판매량, 포션 사이즈, 식재료 코스트, 이익률 등이 계산되고, 이용자는 이를 토대로 경영자적 판단을 내릴 수 있다.

메뉴 가격을 결정하기 위해 여러 가지 방법이 쓰인다. 먼저 선험적 방법으로 고객이 음식 가격을 지불하는 데 동의하는 선을 추론해 가격을 결정할 수 있다. 과학적인 근거가 없어 원시적이지만, 가격에 대한 저항선이 없는 최고급 서비스 식당 또는 차별화된 틈새 전문 식당에서

주로 사용하는 방법이다.

또 주변 동종의 식당에서 받는 가격보다 약간 높게 또는 약간 낮게 책정할 수 있다. 이러한 방법은 경쟁이 극심한 지역에서는 지속적인 가격 저하를 불러일으켜 출혈 경쟁을 야기시킬 가능성이 있다. 빈번히 일어나고 있는 맥도날드와 롯데리아의 가격 할인 경쟁이 좋은 예이다.

좀 복잡하게 보이지만 원가를 기반으로 가격을 결정하기도 한다. 이는 가장 흔히 쓰이는 전통적인 방법이지만 현대에도 여전히 통용되고 있다. 이 방법에는 다음과 같은 방식이 있다.

팩토 메소드(Factor Method) = 마크 업(Mark-up)

가격 결정 방법이라고도 하며, 원재료 구매 가격에 가격 결정 인자를 곱해 판매가를 구하는 방식이다. 가격 결정 인자는 보통 100 나누기 희망하는 식재료 원가율을 나누면 된다. 희망하는 원가율이 30%라고 하면 가격 결정 인자는 100÷30=3.33이 된다. 예를 들어 스파게티 원재료 구매가가 모두 1,500원이고, 희망하는 원가율을 30%라고 해보자. 판매가는 5,000원 정도지만 원재료 원가 이외의 다른 비용 요소들, 즉 인건비, 수도, 가스료,

광고비, 임대료, 세금 등 메뉴 가격에 포함하지 않는다는 결점이 있다. 또한 고객 입장에서 느끼는 메뉴의 가치에 대한 고려가 없다.

프라임 코스트 메소드(Prime Cost Method)

이 방식은 원재료 가격뿐만 아니라 메뉴를 준비하는 데 쓰인 인건비를 포함해 가격을 결정하는 것이다. 그러므로 서비스, 위생, 사무실에 근무하는 인력들의 인건비는 포함하지 않는다. 예를 들어 스파게티 원재료가 1,500원일 때, 이 스파게티를 준비하고 요리하는 조리사의 한 달 인건비 100만 원을 한 달 동안 스파게티 판매량 500개로 나누면 스파게티 1개당 주방 인건비는 2,000원이 된다. 그러므로 프라임 코스트는 1,500원+2,000원=3,500원이다. 프라임 코스트 비율을 전체 코스트의 50%로 가정하면 결정인자는 100÷50=2이다. 그러므로 프라임 코스트 방법을 통한 스파게티 판매가는 7,000원이다. 이 방법의 단점은 직접적인 인건비는 고려했지만, 그 밖의 운영 비용을 고려하지 않고 고객이 느끼는 가치에 대한 반영도 없다는 점이다.

액츄얼 프라이싱 메소드(Actual Pricing Method)

식당을 운영하는 데 필요한 모든 원가를 산출한 뒤 적정 이익률을 산정해 메뉴 가격에 포함시키는 방법이다. 이 방법은 메뉴 가격에 모든 코스트와 원하는 이익률을 반영해 가격을 결정할 수 있다는 장점이 있다. 하지만 경영 목표에 부합되게 어떤 아이템은 마진을 적게 해 판매를 촉진하거나, 어떤 아이템은 판매가 적더라도 마진을 높게 가져가는 등, 메뉴별로 판매와 이익률을 차별화할 경우 적용하기에는 복잡한 과정을 거쳐야 하는 어려움이 있다. 마케팅 측면에서의 '메뉴 프라이싱(Menu Pricing)'을 할 수도 있다. 메뉴 가격을 산출하는 데 고객의 심리를 이용하면 구매 의욕을 불러일으켜 매출을 올릴 수 있다는 관점에서 사용되는 기법이다.

5, 7, 9 숫자 프라이싱

메뉴 가격의 끝을 '0'이 아닌 근사치의 숫자로 끝나게 하는 방법이다. 예를 들어 9,900원 또는 4,790원 등으로 가격을 매겨 고객들이 가격을 할인받고 있다는 기분을 들게 하는 것이다. 이 방법은 패스트푸드와 같은 저단가 메뉴를 판매하는 식당에서 사용이 가능하며, 고급 식당에서는 피해야 한다. 너무 진부해 오히려 고객의 거부감을 낳게 할 수도 있다.

메뉴의 가격 편차

비싼 메뉴와 저가 메뉴 간의 가격 편차를 고의로 심하게 가져가서 고객들이 중간 가격대의 메뉴를 자연스럽게 결정하게끔 유도한다.

중량 또는 일정 기준에 의한 가격 책정

샐러드바나 반찬 가게에서 흔히 볼 수 있는 가격 책정 방식이다. 가격을 올리면 고객의 불만이 커진다. 하지만 고객 자신이 선택한 양만큼만 저울에 달아 정량적인 방식으로 계산한다면 불만은 작아진다. 또한 고객이 원하는 만큼 접시에 담아 한 접시에 얼마 하는 식의 일정 기준에 따라 가격을 정하는 방식은 고객의 구매를 유도할 수 있다.

세트 메뉴 또는 정식 차림표

전채, 메인 메뉴, 디저트를 결합해 따로따로 주문한 것보다 약간 할인된 가격으로 고객에게 제공하는 것을 의미한다. 패스트푸드 식당뿐만 아니라 일반 고급 식당에서도 특정의 식재료를 빨리 소진하고, 객단가를 일정하게 유지하려는 목적으로 사용한다.

이 외에도 여러 가지 판매 가격을 결정하는 방식이 많지만, 가격 결정에 있어 가장 중요한 요소는 내가 받고자 하는 가격을 정하는 것이 아니라 고객이 만족할 만한 가격을 정해야 한다는 점이다. 고객이 원하는 가격을 정하기 위해서는 음식의 맛, 식재료의 신선함, 데코레이션적인 미적 요소, 감성 서비스, 식당의 분위기 등 많은 요소가 고려돼야 한다. 결국 마지막에 고객이 지갑을 열고 계산할 때 만족할 수 있는 가격을 결정해야 하는 대명제를 바탕에 깔고 의사 결정을 해야 한다는 점이다.

24. 대박 매장 만드는 인테리어

....

창업 시 매장을 인테리어 하는 방법은 2가지다. 인테리어 업체에 전적으로 맡기는 것과 직접 인테리어를 시공하는 것이다. 전자보다 후자가 인테리어 비용은 절약할 수 있지만, 창업자가 직접 인테리어를 하려면 전체 공정을 잘 알고 있어야 한다. 창업 자금이 넉넉지 않을 때는 불가피하게 직접 시공을 선택해야 하는데, 이때 고려할 점을 몇 가지 짚어 보자.

우선 매장 전면 연출에 대해 살펴보자. 작은 매장은 매장 면적이 좁고 입구 역시 좁다. 하지만 매장 입구는 고객의 입점률을 높이는 데 비중이 높으므로 가능하면 손님들이 들어오기 쉽게 최대한 넓혀야 한다. 가로 길이가 좁은 매장이라 어쩔 수 없이 출입구 면적 또한 좁아질 수밖에 없다면 벽을 탁 트인 유리로 처리해 상대적으로 출입구가 넓어 보이는 효과를 얻도록 해야 한다.

출입문 재질은 업종 성격에 따라서 결정한다. 예를 들어 소자본 창업 시에는 비교적 저렴한 제품을 판매하는 게 일반적인데, 이럴 때는 출입문의 소재를 가벼운 것으로 사용해 출입이 자유로워지도록 하자.

매장 전면을 연출할 때 또 한 가지 고려할 점은 고객이 바깥에서 봤을 때 매장에서 무엇을 판매하는지 명확하게 알 수 있어야 한다는 점이다. 매장 내부가 밖에서도 훤히 보이도록 한다든지 눈에 띄는 개성 있고 큰 간판을 효과적으로 배치하면 좋다.

한편 점포 인테리어를 할 때는 주변 상권과 조화까지 고려해야 한다. 개성 있는 인테리어를 연출하되 주변 생활 수준이나 유동 인구의 수준을 무시하고 너무 튀는 인테리어를 시공하는 것은 매출 증가에 바람직하지 않다.

전면 인테리어가 고객 입점률을 높인다면 매장 내부 인테리어는 일단 매장에 들어온 고객이 매장 내에 머무는 시간과 실제 구매율에 영향을 미친다. 매장 전면에 매력을 느껴 매장 내에 들어왔어도 매장 레이아웃이나 조명, 내부 색상, 음악 등 분위기 연출이 고객을 만족하게 하지 못하면 고객은 매장을 재방문하지 않아 높은 매출을 내는 게 불가능하다.

색상은 주 고객층에게 맞추는 게 좋다. 가령 주 고객층이 젊다면 밝고 환한 색상으로 세련된 분위기를 연출한다. 40대 중년층이 고객이라면 전통적인 컬러로 편안함을 준다.

조명은 크게 드러나지 않으면서 매장의 분위기를 살리는 데 큰 몫을 한다. 시공 업자와 상담을 하기 전에 미리 조명 전문 상가에 들러 다양한 종류의 조명 특성과 가격, 전기료까지 미리 알아두고 유사 점포를 방문, 어떤 조명이 고객들에게 좋은 반응을 얻는지도 미리 조사하는 것이 좋다.

간판은 매장의 상징이며 이름표다. 간판은 매장을 고객에게 알리는 상징물로 중요한 의미를 갖는다. 최근 개성이 중시되면서 간판도 무한 변신하고 있다. 최근 간판들은 정형적인 직사각형을 벗어나서 재미와 흥미를 끄는 등 개성을 중시하기도 한다. 예전 간판은 단순히 매장의 이름표에 불과했다면, 최근에는 이름표를 넘어서 명함의 역할을 하고 있다고 평가된다.

간판은 소재와 부착하는 위치에 따라서 여러 가지 종류로 나뉜다. 먼저 부착하는 곳에 따라 전면 간판, 돌출 간판, 입간판, 지주 간판 등이 있다. 전면 간판은 건물 전면에 부착하는 간판으로 약 4m 크기가 가장 일반적인 크기로 간판을 붙이는 곳은 간판 부착부의 80%가 허용된다. 건물 모서리 부분에 부착하는 세로형 양면 간판은 돌출 간판이다. 건물 입구에 세워진 양면 세로형 간판은 지주 간판이다. 대형 건물인 경우 단독 지주 간판을 부착하기도 하고, 여러 매장을 알리기 위한 합동 지주 간판도 있다.

간판은 소재에 따라 구분하기도 한다. 1970년대에는 아크릴 간판이 등장해 발전했다. 아크릴은 가벼우면서 가공하기 쉬워서 거의 모든 간판의 소재가 되기도 했다. 1980년대 접어들면서 파나플렉스를 이용한 플렉스 간판이 등장했다. 아크릴이나 금속제 간판보다 다양한 색상 표현이 가능해 주목받았다. 최근에는 LED, 레이저 등을 이용한 간판부터 나무, 돌, 금속 등 전통적인 소재도 사용되고 있다.

최근 음식점들은 간판에 다양한 문구를 넣어 예쁘게 꾸미고 있는데, 고객에게 매장을 알리려는 목적이 가장 크다. 좋은 간판이란 소비자에게 매장에 대한 정확한 정보를 제공해 방문을 유도하는 것이다. 특히 간판 속에 사업 내용과 컨셉을 담아서 애매한 것을 싫어하는 고객의 마음을 사로잡는 것이 중요하다.

2008년부터는 간판에 관한 법률이 새로 규정되어 설

치 시 참고해야 한다. 하나의 예로 서울 각 구마다도 간판 설치 규정이 다르기 때문에, 각 해당 관청에 문의한 후 제작해야 한다.

최근의 간판의 문제는 너무 개성만을 중시한 나머지 매장이 입점한 건물이나 주변 환경과의 조화를 전혀 고려하지 않는 점이다. 그래서 정부와 각 지자체에서는 간판 규제에 나서고 있고, 아름다운 거리 만들기 등의 캠페인을 펼치고 있다. 예를 들어 붉은색과 검은색이 간판의 50% 이상을 사용하지 못하게 하거나, 건물과 조화를 이루지 못하는 대형 간판 등은 규제 대상이다.

간판은 무조건 크면 좋다는 인식도 점차 개선되어야 한다. 서울 거리의 보도 폭은 평균 3m여서 간판이 너무 크면 보행자가 내용을 한눈에 파악하기 어렵다. 가로 간판은 폭이 60㎝ 정도로 벽면 절반 이하, 돌출 간판의 폭은 40~50㎝ 정도가 적당하다.

글씨체는 간판 면적의 1/2을 넘지 않도록 하고, 매장 명의 크기가 10이라면 전화번호는 2 정도의 비율로 맞추는 게 좋다. 글씨와 함께 애니메이션을 넣으면 가시성과 정보 제공 효과를 높일 수 있다.

25. 맛있다고 모두가 성공하지 않는다

대체로 식당의 영업 이익률은 일반 소매업과 비교할 때 높다. 식당이 음식에 부가 가치를 얹어 팔기 때문이다. 일반적으로 식당을 포함한 외식업을 서비스업으로 분류하는 것은 이 때문이다. 즉, 이익률이 높은 만큼 부가 가치가 있어야 한다. 부가 가치라는 것은 고객이 생각하는 가치이며, 가치가 작으면 고객들은 당연히 제대로 평가를 해주지 않는다. 고객은 '부당하게 비싼 값을 치렀다'고 생각하기에 십상이다. 그러면 외식업의 부가 가치라는 것은 무엇일까? 그것은 서비스업에 있어서 QSC로 설명할 수 있다.

외식업의 QSC
  - 상품성 (quality)
  - 서비스 (service)
  - 분위기, 컨셉 (concept)

상품성(맛, 위생, 신선도 등)은 고객에게 충분하게 납득할 만한 수준인가? 서비스의 수준은 서비스업으로서 수준을 유지하고 있는가? 식당의 외관이나 홀 내부는 음식을 먹기에 좋은 분위기를 유지하고 있는가? 이 3가지 수준이 고객이 내는 돈과 비교해서 정당하다고 인정되면 그 식당에는 고객이 몰려든다. 그리고 그 수준이 높으면 높을수록 식당은 번성한다.

QSC = 식당의 가치

고객이 식당에 대해 평가하는 것은 보통 식사를 끝내고 카운터에서 돈을 낼 때다. 식당에 들어가는 순간부터 분위기를 느끼고, 메뉴판으로 메뉴와 가격을 알며, 음식을 먹으면서 맛과 서비스 수준을 평가한다. 음식을 다 먹을 때까지는 그것들은 그저 그런 정도의 가치로만 여겨진다. 그런데 카운터에서는 얘기가 달라진다. 사람은 구체적으로 지갑을 열 때 가장 진지해지기 마련이다. 이때 고객이 비싸다고 느낄까, 싸다고 느낄까? 그때가 식당의 흥망을 결정짓는 순간이다. QSC는 바로 이러한 순간을 결정짓는 중요한 요인이다.

식당의 가치는 어디까지나 QSC 3가지 요소의 통합력

으로 결정된다. 물론 식당은 음식을 파는 곳이므로 상품은 음식이다. 그러나 식당에서 판매하는 것은 음식뿐만이 아니다. 음식 외에 인적 서비스, 분위기 등이 진정한 의미에서의 상품이다. 반대로 이 3요소가 균형을 이루지 못하면 고객으로부터 외면받는다.

예를 들어 '우리 집은 맛있으니까'라고 너무 자신해서 서비스와 분위기에 대해서 신경을 쓰지 않는다면 대개는 성공과는 멀어진다고 보면 된다. '우리 집은 맛있는데' 하는 착각은 식당에서 판매하는 것이 음식뿐이라고 생각하기 때문이다. '맛있으면 손님이 많이 온다'라고 단순하게 생각하면 안 된다. 요즘 고객들은 단순하게 맛으로만 만족하지 않는다. 맛은 식당의 당연한 조건이라고 생각한다. 이제는 더 뛰어난 맛과 싼 가격이 없으면 음식만으로 고객을 불러들이기 힘든 시대다. 음식이 조금 맛있는 것만으로 재료 원가의 3배나 되는 가격으로 손님을 납득시킬 수 없다. 조리 기술도 부가 가치의 한 요소지만, 서비스와 분위기가 조화를 이룰 때 그 가치가 살아 숨 쉰다.

또 서비스 요원이 있다고 해도 그 서비스의 수준이 낮으면 고객은 서비스라고 생각하지 않는다. 역으로 아무리 세심한 서비스를 해도 음식이 맛없거나 지저분한 식당에는 고객이 가지 않는다. QSC 3요소라는 것은 이처럼 통합적인 형태로 기능하며, 그 종합적인 부가 가치가 고객의 식당에 대한 평가 대상이 된다.

여기에서 경영자의 입장에서 QSC를 생각해 보자. '3요소의 수준은 어느 정도여야 하는가?'라는 문제에 직면하게 된다. 결론부터 말하면 그 수준을 결정하는 것은 경영자다. 경영자가 생각해 설정해 둔 QSC의 총체적인 수준을 몸에 익히고, 그것을 항상 고객에게 제공할 수 있도록 하는 것이다. 이 QSC에 관한 경영자의 총체적인 수준을 스탠더드(표준)라고 한다. 물론 경영자인 독자의 경험과 지식을 살려서 개선책을 강구해야 한다.

스탠더드는 어디까지나 고객 만족에 기초한 것이라는 사실을 잊어서는 안 된다. 내가 받고 싶은 가격을 설정해 상품을 판매하는 것이어서는 안 된다. 고객의 만족이 우선된 가치 가격을 위한 상품을 만들고 제공해야 오래갈 수 있다.

26. 메뉴판만 봐도 앞날이 보인다

외식 업계는 과당 경쟁 시대다. 지역에 따라서는 이미 포화 상태에 있고, 어떤 지역은 식당 도태의 시대라고 일컬어진다. 자본의 대소와 관계없이 식당은 매우 냉엄한 경영 환경에 놓여 있는데, 그 혹독함은 잠시라도 길거리를 걸어보면 알 수 있다. 많은 식당이 고전하고 있다. 번화가나 역세권, 상가를 중심으로 한 A급 상권에 입지해 있으면서도 부진한 식당은 셀 수 없을 정도다.

여기서 잠시 외식업의 현황을 보자. 많은 식당이 난립하면서도 그 태반이 서로 별 차이도 없는 상품으로 경쟁하고 있는 것을 알 수 있다. A 체인 식당의 간판을 B 체인의 것으로 바꾸어도 이상하지 않을 것 같다. 체인점뿐만 아니라 차별성 있는 식당은 극소수에 불과하다. 유행의 틀 속에서 별 차이가 없는 식당이 엎치락뒤치락 저차원의 경쟁을 벌이고 있다.

외식업은 부가 가치를 파는 산업이다. 부가 가치란 QSC(quality, service, concept)의 3요소다. 그러나 식당인 이상 가장 중요한 것은 식음 상품이다. 상품의 질이 낮아서는 말할 거리가 안 된다. 고객이 단순히 식사가 아니라 식사를 통해 그 시간과 장소의 기분을 즐기는 것이 목적이라고 했지만, 식사의 내용(상품 자체)에 매력이 없으면 즐거울 수 없다.

경쟁 식당과 차별화를 추구하고 성공하는 식당이 되기 위해서는 무엇보다 식음 상품의 독자성, 개성을 갖는 것이 중요하다. 자신 있는 상품이 있으면 고객은 멀리서도 일부러 찾아온다. 평범한 상품밖에 없는 식당은 근처의 고객조차 거들떠보지 않는다. 기껏 달리 갈 식당이나 시간이 없을 때만 가는 것이 고작이다.

상품에 자신이 없는 식당은 메뉴나 디스플레이를 보면 금방 알 수 있다. 대개 디스플레이부터 개성이 없다. 내세울 만한 상품이 없으므로 무난한 선에서 생각한다. 그 결과 어느 식당이나 메뉴 구성이 비슷비슷하다. 도토리 키 재기 상태가 범람하는 것은 결국 상품에 자신이 없기 때문이다. 자신 있는 상품(메뉴)이 있다면 쓸데없이 고객의 시선만 이동시키는 상품(메뉴)을 늘어놓을 필요가 없을 것이다. 극단적으로 말하면 하나의 상품(메뉴)만으로도 장사가 된다.

물론 상품(메뉴) 정책은 단순하지 않다. 목표 고객층의 이용 동기를 고려해 상품 구색을 결정하므로 품목 수가 많고 적은 것만으로 식당의 독자성을 판단할 수는 없다. 예를 들면 팔고 싶은 상품을 눈에 띄게 하기 위한 미끼 상품이 필요한 경우도 있고, 가족 단위의 고객이나 그룹 고객의 다양한 요구에 부응할 필요가 있는 식당도 있다. 이것은 식당 컨셉의 문제이므로 일률적으로는 말할 수 없으나 상품 자체의 품질(quality)뿐 아니라 상품 구색에도 중요한 의미가 있다.

또 식당 경영에 있어서 식당에 대한 전통적 발상보다는 파괴적 발상이 중요하다. 최근에는 퓨전 식당과 같이 새로운 장르의 식당이 늘어나고 있다. 종래의 전통적 발상에서는 결코 나올 수 없는 식당들이다. 이들 식당의 컨셉이나 발상은 처음부터 전통을 무시한다. 최초에 팔고 싶은 메뉴가 있었겠지만 그것으로는 고객들을 유혹하기 어렵기 때문에 퓨전의 형태로 변화하는 것이다.

대박 컨셉이 나오면 바로 흉내 내는 사람들이 있는데, 대박 식당은 벼락치기로는 잘 안 된다. 고객이 매력을 느끼고 선호하는 것은 식당이 아니라 상품이다. 그 발상의 순서가 반대면 결과도 반대가 된다. 이러한 발상을 가진다면 다른 식당과 같은 메뉴 구성을 하는 것만으로 경쟁자와 차별화될 수 없다. 식당의 차별화된 상품은 강렬한 개성을 발휘하는 메뉴인데 이러한 상품은 파괴적 발상에서 생겨난다. 같은 메뉴명이라도 내용이 다르고 모양이 다르며 다른 식당에서는 맛볼 수 없는 상품이라면 훌륭히 차별화된 상품이다.

발상을 전환하기 위해서 사람의 개성을 생각해 보면 좋다. 백인백색이라 해도 이목구비, 체형 모두 극단적으로 다른 것은 아니다. 사소한 차이에 사람의 개성이 있다. 식당의 상품도 마찬가지다. 단순히 신기함만으로는 일시적인 화제는 될 수 있어도 자리를 잡는 것은 어렵다. 중요한 것은 전부터 있던 메뉴를 조금이라도 바꿔 새롭게 하는 것이다. 이것이 전문 메뉴를 개발하고 원조 격의 식당이 되는 방법이다.

결국 이러한 오리지널리티란 특별히 맛만의 문제가 아니다. 맛도, 외관도 오리지널리티 표현의 한 요소에 불과하다. 오리지널 상품 발상의 열쇠가 되는 것은 인간의 오감에 호소하는 것이다. 시각(눈), 청각(귀), 미각(혀), 후각(코), 촉각(손) 중 하나라도 뛰어난 요소가 있다면 그것은 오리지널 상품으로서 통용된다. 시각, 미각은 말할 것도 없다.

그러나 청각이나 후각, 촉각에 대한 식당의 관심은 아직 뒤떨어져 있다. 계절감의 표현도 중요한데 사계절의 변화가 음식에 반영된다면 매우 좋다. 그러한 요소를 상품에 반영하면 한층 강력히 차별화된 매력을 갖는 상품이 된다.

상품의 차별화란 단순하지는 않지만 결코 어려운 것은 아니다. 끊임없이 고객이 무엇을 좋아하는지를 연구하고 공부하고 실행하는 길이다. 간판이 없어도 찾아오는 식당을 만들고 싶으면 모든 신경과 노력을 고객에게 맞춰야 한다.

27. 밥만 먹으러 식당 가는 시대는 갔다

서비스업이라면 고객을 소중히 하는 것은 기본이다. 그러나 이 기본을 실천한다는 것은 의외로 어렵다. 많은 사람들이 서비스업이라는 단어는 알고 있지만, 그것이 실제로 어떠한 것인가는 의외로 잘 모르는 경우가 많다. 이것은 당신이 평소 이용하고 있는 식당의 서비스 수준을 생각해 보면 금방 알 수 있을 것이다. 물론 접객 태도나 분위기가 좋아서 감탄한 식당도 있겠지만, 화가 났거나 아니면 그 정도를 넘어 아예 어이가 없었던 식당도 적지 않을 것이다.

사실 이것은 누구나 느끼고 있다. 따라서 고객은 느낀 대로 식당을 선택한다. 불쾌한 기억을 되풀이하고 싶지 않기 때문이다. 그렇다면 식당의 서비스 수준을 더 향상하면 좋을 것이다. 그러나 현실은 그렇지 않다. 외식업에 종사하고 있는 사람들이 자신이 고객의 입장에서 느낀 경험을 일에서 살리지 않고 있기 때문이다. 적어도 경영자인 당신은 자신이 고객이었을 때 "이렇게 해준다면" 하고 생각했던 것을 자신의 식당에서 고객에게 실행하고 있는가 진지하게 반성해 볼 필요가 있다. 그리고 이렇게 스스로 자각해 서비스 향상에 노력하는 것이 서비스업의 마인드를 갖는 첫걸음이다.

서비스업을 한마디로 표현하면 '고객에게 봉사한다'는 것이다. 그럼 '봉사한다'는 것은 어떠한 것일까? 여기서 식당에서의 접객 서비스를 구체적으로 생각해 보자.

고객이 식당에 오면 "어서 오십시오"라고 인사하고 돌아갈 때는 "감사합니다"라고 한다. 고객을 자리에 안내하고 물을 따르며 주문을 받는다. 음식이 완성되면 고객 테이블까지 갖다 주고 고객이 다 먹은 그릇을 정리한다. 대략 말하면 이것이 실제로 이뤄지는 접객 서비스다. 문제는 과연 이것만으로 '과연 고객에게 봉사한 것인가?' 하는 것이다. 분명 이것들은 접객의 기본이다. 그러나 그기본대로 한 것만으로는 '봉사한다'는 것은 아니라는 점에 서비스업의 어려움이 있다.

고객이 감동하는 것은 자신이 소중히 여겨지고 있다고 느낄 때다. 그럼 어떻게 하면 고객이 그렇게 느끼게 할 수 있는 것일까. 그것은 고객을 사랑해야만 가능한 것이다. 사랑하는 사람을 위하기에 세세하게 배려하는 것이다. 가능한 한 식사를 즐겁게 했으면 하는 마음이 저절로 몸을 움직이게 한다. 이것이 '봉사한다'는 것이다.

예를 들면 같은 '어서 오십시오'라는 말에도 마음이 담겨 있는 것과 그렇지 않은 것은 전혀 느낌이 다르다. '감사하다'도 정말로 감사의 마음이 담겨 있지 않으면 고객의 귀에는 건성으로 들릴 뿐이다. 그러나 자신의 벌이를 책임지고 있는 것은 식당이 아니라 고객이라고 생각한다면 일부러 꾸미지 않아도 자연히 말에 감사의 마음이 우러난다. 진심으로 감사받아 싫은 사람은 없는 것이다. 또 그러한 감사의 마음(고객에의 사랑)이 있으면 고객이 먹는 속도를 보면서 타이밍 좋게 다음 음식을 내거나 고객의 대화를 방해하게 될 것 같은 때에는 가능한 한 방해가 되지 않도록 주의하는 세심한 배려를 할 수 있다.

고객을 감동하게 하는 이러한 서비스는 형식뿐인, 틀에 박힌 서비스로는 절대로 할 수 없다. 사랑하는 사람을 위해서라면 여간해서는 고생스럽지 않지만 그렇지 않은 사람을 위해서라면 형식적으로 하게 되는 것이 사람의 심리인 것이다. 식당이 번성한다는 것은 그 식당에 가치를 부여한다는 것인데 바꿔 말하면 많은 고객들이 식당의 사랑을 느끼고 있다는 증거이다. 이것이 '서비스업=외식업'의 근간이다.

외식은 소비자에게 있어서 가장 친근한 레저다. 단 그 레저의 질과 내용은 크게 변해 왔다. '외식업=서비스업' 으로 인식을 갖는 데 있어서 이것을 이해하는 것도 중요한 의미가 있다. 가난했던 시대에는 도저히 서비스업이라고는 할 수 없는 식당이 태반이었다. 왜냐하면 당시의 외식업은 서비스업이라는 인식은 거의 없고, 배를 채우는 업종인 것을 자타가 모두 인정하고 있었기 때문이다. 물론 공복을 채운다는 것은 고객의 첫 번째 목적이었다. 평소와 다른 것을 먹는다는 것이 가정의 대단한 축제(레저)였다. 따라서 식당은 음식이라는 것을 툭 내놓는 것만으로도 충분히 장사가 될 수 있었다.

그러나 지금은 풍요로운 시대다. 외식업은 이제 더 이상 배를 채우는 산업이 아니다. 레저 산업으로서 성장하고 소비자도 풍요로운 시대에 걸맞은 레저를 기대하고 있다. 음식이란 인간 생활에서 떼려야 뗄 수 없기 때문이다. 따라서 외식업, 먹는 장사란 비즈니스로서 안정적이라고 생각하는 사람이 많다. 분명히 이 생각은 어느 면에서는 틀리지 않는다. 그러나 그러한 발상은 30년 전의 발상이라는 것을 지적해 두고 싶다.

현재 고객이 식당에 요구하는 풍요로움이란 여유나 즐거움과 같은 정신적, 정서적인 것이다. 음식의 맛보다 중요한 것은 아니지만, 맛 자체가 목적은 아니게 되었다. 친한 친구나 가족과 식사를 한다. 즐겁고 풍요로운 시간을 보내는 것이 중요하고 식사는 그것을 위한 상황적인 성격이 강하게 되었다. 이것이 풍요로운 시대의 레저라는 의미다. 레저는 생활에 없어서는 안 될 기쁨이요, 즐거움이다. 외식업은 그 즐거움을 많은 사람에게 제공하는 것이므로 가치 있는 산업이라 할 수 있다.

이러한 레저를 어떻게 고객에게 제공하는 것이 좋을까? 답은 자연히 명확해질 것이다. 음식을 제공하기만 하면 되던 시대에 외식업은 음식을 파는 것만으로 완결됐다. 그러나 풍요로운 기분이 중시되는 지금에는 즐길 수 있는 식당을 요구하고 있다. 어떻게 하면 고객에게 즐거움을 줄 것인가를 끊임없이 연구하고 실천할 때 비로소 성공하는 식당이 될 수 있다.

28. 오픈 첫날 손님 많던 식당,
왜 문 닫게 됐을까

코로나19로 전 세계가 공포에 떨고 있고 국내 모든 산업이 이 고통을 겪고 있다. 특히 자영업의 경우는 직격탄을 맞아 폐업이 속출하고 있다. 주중, 주말 가릴 것 없이 식당의 매출은 거의 90% 격감하고 있다.

코로나19로 비상시국인 상황에서 위생 관념이 전혀 없는 식당도 많아 큰 문제가 되고 있다. 불특정 사람이 사용하는 수저를 뜨거운 물에 매일 소독해야 하는데도 잘 지켜지지 않고, 주방 환경이 무방비로 방치된 업소가 많은 게 현실이다. 대면 접촉에 의한 감염도 문제지만 많은 손길이 닿는 손잡이, 수저통, 테이블에 묻은 감염자의 바이러스가 며칠씩 남아 그걸 접촉하고 또 다른 곳에 옮기는 일이 반복되고 있다.

사람들이 호텔, 식당 등 다중 시설을 기피하는 이유는 어디서 옮을 줄 모르는 감염에 대한 심리적 공포 때문이다. 사람들의 접촉이 빈번한 다중 공간 내 접촉 다발 시설에 바이러스 자체가 침투할 수 없는 항균 나노 코팅 사전 방역을 하면 불안감을 해소하고 클린 호텔, 클린 식당 이미지로 보다 안심하고 이용할 수 있는 심리적 방역을 심어줄 수 있겠다 싶었다. 그런데 대부분의 프랜차이즈 업체 본사는 선뜻 나서지 않았다. 모든 프랜차이즈 가맹점 매출이 90% 이상 격감해 아우성치고 있는 상황에서 본사는 그동안 벌어둔 이익금을 가맹점을 위해 사용해야 하는데도 투입 비용을 먼저 생각하고 망설이는 것을 보고 안타까움을 금할 수 없었다.

국내 저가 항공사가 이미 발권을 다 하고 한국으로 돌아가는 비행기를 타려고 공항에 나온 고객을 외면하고 효율이 나지 않는다며 운항을 취소했다는 뉴스를 본 적이 있다. 저가 항공사 경영진의 눈에는 고객은 존재하지 않기에 일어난 일임은 말할 것도 없다. 효율, 즉 이익보다 우선시되어야 하는 것이 고객과의 신뢰와 약속이다.

매장을 오픈하면 모든 준비가 잘되어 있지 않고 직원들끼리도 손발이 안 맞고 엉망이다. 한 달쯤 지나야 비로소 조금씩 운영이 안정되는 게 현실이다. 대부분의 점주는 오픈 첫날부터의 성공만 생각하기에 주변 광고에 열을 올리고 지인들에게 전화해 초청한다. 손님이 한꺼번에 밀려들어 식당 운영이 매끄럽지 못한 건 당연해 여기저기 불만의 소리가 하늘을 찌른다. 한 번 불쾌한 대접을 받은 고객은 다시 그 식당을 찾아오지 않게 되고 점점 손님이 줄어 결국엔 폐업까지 하게 된다.

준비되지 못한 첫날부터 고객 유치에 신경 쓰기보다 식당을 방문하는 한 명 한 명의 고객에게 최선을 다해 만족감이 들게 해야 한다. 모든 게 안정화되어 간다는 판단이 설 때야 비로소 홍보도 하고 지인들에게도 연락도 해야 한다.

성공하고 싶다고 마음만 앞서면 참담한 결과로 이어지고 오늘 방문한 고객 한 명의 만족이 50년을 이어 가는 노포 식당의 출발점이 되는 것임을 명심해야 한다.

가맹점 내 접촉 시설에 항균 나노 코팅을 해주는, 적은 비용마저도 외면하는 본사가 잘될 리 만무하고, 이미 모든 비용을 다 지불한 자사 고객을 버리고 이익이 낮다고 운행을 중단하는 그런 항공사가 사랑을 받을 수 없다. 고객은 효율의 대상이 아니고 배려의 대상이 되어야 한다.

29. 아무리 맛있어도 불편하면 안 간다

외식업을 서비스업이라 인식해야만 내가 이 일을 하는 의미와 이어진다. 예를 들면 음식을 만들어 팔기만 하는 업체에서는 고객의 반응을 직접 볼 수 없다. 그러나 외식업은 다르다. 고객의 반응을 직접 볼 수 있다. 내가 정성을 다하면 고객이 만족해하는 걸 직접 느낄 수 있다. 고객과 정감이 통한 관계가 성립되면 그때마다 자신의 일에 대한 충족감을 맛볼 수 있는 것이다. 일하는 보람이란 이러한 충족감이 있어야 비로소 생긴다는 건 말할 것도 없다.

회사에서 평가를 잘 받으면 그것이 월급 인상이나 승진으로 이어지는 즐거움이 있다. 이는 일에 보람을 갖고 일한 결과로서 자연히 따라 오는 것이다. 외식업은 고객을 즐겁게 하는 자체가 자신의 즐거움이 되고 사는 보람이 되며, 직접 자신의 풍요로운 생활로 연결된다. 이것은 서비스업이기 때문에 맛볼 수 있는 묘미다. 고객의 웃는 얼굴을 보는 것만으로 신이 난다면 훌륭한 경영자가 될 자격이 있다.

외식업이란 음식을 통해 마음을 파는 비즈니스다. 이 '마음'이 없이 단지 형식적인 서비스를 하면 고객은 감동을 받지 않는다. 이 마음을 경영자가 제대로 이해하지 못한다면 경영자로서 실격이다. 이 식당의 마음을 종업원에게 가르치고 철저히 하기 위해서는 무엇보다도 우선 경영자인 자신이 서비스에 대해 폭넓게 알아둘 필요가 있다. 하나의 수준을 이해한다는 것은 단순히 그 수준의 일을 그대로 받아들이기만 하면 된다는 게 아니다. 그 상위 수준과 하위 수준 모두를 숙지해야만 비로소 자신이 선 위치를 바르게 인식할 수 있는 것이다.

식당의 서비스란 말할 것도 없이 고객을 만족하게 하는 서비스다. 그러나 이는 말로는 간단하지만 실천하는 것은 어렵다. 왜냐하면 고객의 만족감이란 일정한 것이 아니기 때문이다. 이것은 개개인의 차이도 있지만 근본적으로는 고객이 식당에 대한 기대의 정도에 따라서 바뀌는 것이다.

예를 들면 패밀리 식당에서 객단가가 10만 원 이상 되는 고급 프렌치 식당의 서비스를 기대하는 고객은 거의 없다. 반대로 고급 프랑스 식당에서 패밀리 식당과 같은 서비스를 받은 고객은 두 번 다시 그 식당을 찾지 않을 것이다. 그럼 패밀리 식당이라면 서비스를 소홀히 해도 좋은가 하면 그런 것은 있을 수 없다. 패밀리 식당의 고객은 그 이용 동기와 지출의 대가로서 충분한 서비스를 기대하고 있는 것이다.

이와 같이 고객의 만족도는 일률적으로 정의할 수 없다. 그러나 고객의 이용 동기와 객단가에 의해 자연히 서비스 수준의 경계선이라는 것이 생긴다. 경계선이란 그 업태에서 최소한 하지 않으면 안 되는 서비스의 수준인 것이다.

식당으로서는 우선 이 경계선의 서비스를 철저히 하는 것이 기본이지만 그것만으로 고객이 진정으로 만족한다고는 할 수 없다. 왜냐하면 비슷한 업태의 경쟁 식당이 얼마든지 있기 때문이다. B 식당과 C 식당에서 비슷한 서비스를 받은 고객에게 경계선의 서비스는 당연한 대금의 대가다. 따라서 특별히 불만은 갖지 않을지도 모르나 만족하는 것도 아니다.

그럼 어떻게 하면 고객을 감동하게 할 수 있는가? 답은 경계선을 상회하는 서비스다. 어렵게 생각할 것은 아니다. 경계선의 서비스에 하나 더 고객을 감동하게 하는 서비스를 하면 되는 것이다. 고객이 감동하는 것은 예기치 못한 서비스를 받았을 때이다. 예를 들면 고급 식당이 아닌데도 경영자가 자리까지 와서 인사를 한다거나. 식사 후에 '맛있게 드셨습니까'라고 말을 건넨다든가, 한 번 더 뜨거운 물수건을 서비스한다든가 할 때 고객은 '이 식당에 오길 잘했다'는 기분이 든다. 식사라는 것은 그때의 기분에 따라 맛있게도 느끼고 맛없게도 느낀다. 거기에 이러한 기대 이상의 서비스를 받으면 음식을 실제 이상으로 맛있게 느낄 것이다.

이와 같이 사소한 배려가 고객을 감동하게 하고, 그 감동은 강한 인상이 되어 고객의 마음에 남는다. 그것은 고객의 기대를 상회하는 서비스를 했기 때문이다. 그리고 이러한 서비스를 유념해 실천하는 것으로 단골이 늘고 나아가 단골의 입소문이나 신규 고객의 동반을 기대할 수 있다.

서비스는 크게 기본 서비스와 응용 서비스로 나누어진다. 기본 서비스란 어렵지도 않고 복잡하지도 않은 2가지로 압축된다. 그것은 항상 웃는 얼굴과 밝고 시원시원한 태도와 접객이다. 이런 것은 외식업에 종사하고 있는 사람이라면 누구나 알고 있을 것이다. 그러나 당연한 것을 실천한다는 것이 실제로는 어렵다. 예를 들면 전 종업원이 언제나 웃는 얼굴을 할 수 있는 식당이 얼마나 될까. 무슨 일이든 기본이 어렵다고 하는 것은 기본이야말로 본질적인 요소가 집약되어 있기 때문이다. 고객에게 언제나 웃는 얼굴을 한다는 것은 소위 형식적인 웃음의 의미가 아니다. 고객에게 감사의 마음을 나타내는 것, 그리고 나서 따뜻한 마음으로 서비스하는 것을 말한다. 서비스업의 본질은 호스피탤리티(hospitality)다. 호스피탤리티는 원래 병든 사람을 극진히 간호한다는 뜻에서 생겨난 단어이지만, 이것은 단순한 테크닉이 아니라 따뜻한 진심이라는 것을 의미하고 있다. 우리 집에 친척, 아는 사람을 초대했을 때 마음으로 서비스하라는 것은 이 따뜻한 마음으로부터 우러나는 서비스 정신을 말하는 것이다.

결국 기본 서비스란 일하는 사람의 마음의 문제이지, 기술적으로 어려운 것은 아니다. 그러나 때때로 종업원에게 우러나는 마음, 감사의 마음이 아니라 접객 용어와 기본 동작만을 가르치고 다 됐다고 생각하는 식당이 있다. 마음보다도 형식에 얽매여 있어서 그렇다. 그러한 식당에서는 그 형식이 오히려 마이너스로 작용한다. 마음이 담겨 있지 않은 형식뿐인 접객은 로봇이 서비스하고 있는 것과 마찬가지다. 극단적으로 말하면 "어서 오십시오", "감사합니다"라고 테이프를 반복하고 음식은 컨베이어 벨트로 운반해 오는 것 같은 것이다. 이걸로 어떻게 고객이 감동할 수 있겠는가?

물론 접객 기본 용어와 접객 태도를 가르치는 것은 중요한 일이다. 그리고 실제로 그것을 제대로 된 수준에까지 몸에 익히기 위해서 상당한 훈련을 거듭해야 한다. 또 사람이 항상 웃는 얼굴을 한다는 것은 그리 쉬운 일은 아니다. 그러나 고객의 앞에 선 이상 내심 어떤 불쾌한 일이 있다 해도 항상 밝게 웃는 얼굴이 아니면 안 된다. 이것이 서비스맨의 역할이기 때문이다. 시간제 종업원이라 해도 급료를 받는 이상은 프로인 것이다. 따라서 종업원에게 이러한 프로 의식을 갖게 하도록 지도하는 것이 경영자의 책임이다. 프로 의식이란 서비스 정신인 것이다.

고객이 원하기 전에 한발 먼저 다가서 고객의 불편함을 미리 덜어주는 'One step ahead' 서비스와 항상 고객이 필요한 순간을 캐치할 수 있는 'Eye contact' 서비스의 실행을 위한 지속적인 교육은 다른 식당에서는 경험하지 못하는 차별화된 감동을 주어 고객의 발길을 모을 수 있다.

30. 맛 좋고 인테리어만 좋다고
성공하지 않는다

식당 주인이 어떤 컨셉으로 식당을 운영해야 할지 모른다면 성공을 포기한 것이나 다름없다. 외식업에서 컨셉 개발은 어느 특정 지역에 식당을 운영한다는 전제 아래 최대한의 이익을 창출하기 위해 메뉴를 계획하고, 식당 분위기를 연출하며, 음식을 서비스하는 방식을 결정하는 것이다. 규모가 큰 외식 업체인 경우 회사가 성장하기 위한 미래 전략과 전술, 투자액 산출 등 기획과 재무 부문을 컨셉 개발에 포함하기도 한다.

분위기라는 것은 정의하기가 어렵다. 객석 홀의 내부 장식 디자인을 분위기 조성이라고 하는 사람이 있다. 분명히 인테리어는 식당의 분위기를 형성하는 중요한 요소이고, 그 디자인 때문에 분위기는 어느 정도 잡힌다. 인테리어 디자인은 동시에 다른 식당과의 차이를 나타내는 차별화의 중요한 요소이기도 하다. 그러나 디자인이 뛰어나다고 해서 바로 좋은 분위기의 식당이 되지는 않는다. 오히려 디자인은 매우 잘 되어 있는데도 분위기가 좋다고 할 수 없는 식당도 많다.

이처럼 식당의 분위기를 정의 내리기가 어려운 것은 그것이 매우 감각적이고 주관적인 것이기 때문이다. 식당의 분위기는 그곳에서 일하는 사람에게 공기와 같다. 바삐 돌아가는 일상에서 소홀히 해버리기 쉽다. 그러나 공기와 같은 것이기 때문에 고객은 민감하게 반응한다는 것을 잊어서는 안 된다.

미국에서 유명한 외식업 경영인 중 한 사람인 데이브 토마스는 KFC의 창업자 커넬 샌더스와 치킨 프랜차이즈 영업을 위해 1950년 중반에 미국 전역을 여행하면서 패스트푸드 및 식당 체인의 컨셉 설정을 많이 배웠다고 이야기한 적이 있다. 그의 생각은 후에 KFC와 웬디스의 성공에 밑거름이 되었고, 지금은 체인 식당 및 패스트푸드 컨셉 설정의 교본처럼 여겨지고 있다.

그가 생각했던 웬디스의 컨셉은 '남들보다 더 큰 햄버거에 내용물은 풍부히', '메뉴 수는 대폭 줄이되, 제공되는 메뉴는 항상 뛰어난 맛을 유지할 것', '경쟁자와 다른 식당 이미지를 창출할 것' 등이었다. 이런 기본적인 관점에서 출발해 웬디스는 당시 다른 햄버거 식당과의 차별화를 시도했다. 그 차별화란 셀프 서비스이지만 종업원들이 테이블을 항상 깨끗이 치우고, 아이뿐만 아니라 성인에게 집중적인 마케팅을 하며, 경쟁사보다 더 큰 햄버거를 더 싼 값에 제공하는 것이었다. 복고풍의 식당 테마, 카펫 깔린 바닥 등 하드웨어적인 측면도 고려했다.

이런 단순하고 명쾌한 컨셉 덕분에 웬디스는 현재 미국 내에서 4,000개 이상의 햄버거 레스토랑을 운영하고 있으며 고객 만족도가 가장 높은 햄버거 패스트푸드 체인이 되었다. 웬디스의 사례를 가지고 패스트푸드의 컨셉을 아래와 같이 정의해 볼 수 있다.

패스트푸드의 컨셉

- 제한된 메뉴
- 강력한 마케팅 전략
- 고객을 유인할 만한 시설 및 데코레이션
- 이익을 극대화하기 위한 내부 관리 능력
- 균질한 품질 유지하기 위한 프로세스
- 지속적인 시장 확대

외식업 컨셉 설정 및 영업에는 Menu(메뉴), Market(목표 시장), Money(자금), Management(경영 능력), Method of Execution(실행 방법) 등 '5M'이 중요하다.

첫째, 외식업 컨셉 및 영업을 하기 위해 메뉴의 중요성은 두말할 나위가 없다. 메뉴는 외식업 컨셉과 영업 성공의 성패를 쥐고 있는 제1요소이기 때문이다.

둘째, 기업이나 개인이 시장 선정과 관련해 공통으로 저지르는 실수는 시장 조사를 성실히 하고도 얻어진 결과를 기본으로 마케팅을 실행하지 않는 것이다. 정확한 데이터를 산출했더라도 직관과 경험에 따라 결정을 내리는 우를 범하곤 한다. 외식업을 하기 위해서는 어떤 시장을 대상으로 영업하려고 하는가, 매출과 이익을 창출할 만한 적정 규모의 시장인가, 타깃 시장이 원하는 메뉴는 무엇인가, 어떤 차별적인 요소를 부각해 고객의 재방문을 유도할 것인가 등을 고민해야 한다.

셋째, 식당을 오픈하거나 운영하기 위해서는 기획 비용, 건물 건축 및 리뉴얼, 조리 기구 및 식기, 집기, 유텐실, 가구 및 각종 비품류, 데코레이션, 영업 운전 비용 등에 소요될 자금이 필요하다. 식당의 컨셉에 따라 필요 자금의 차이가 하늘과 땅 차이만큼 될 수 있으므로 자금 부분도 컨셉 설정 및 영업 계획에 반영해야 한다.

넷째, 작은 식당에서는 창업자의 성향에 따라 영업이 진행되지만 일정 규모 이상의 외식 기업에서는 팀 단위로 운영된다. 이 경우 영업 정책은 매뉴얼의 형태로 쓰이고 공유돼야 한다. 외식업에 있어 경영 능력이란 커뮤니케이션 능력, 강력한 조정 능력, 종업원과의 견고한 인간관계, 뚜렷한 경영 철학, 확실한 업무 지침 등을 들 수 있다.

마지막으로 현실적으로 영업을 진행하기 위해서는 어떻게 음식을 생산할 것인가, 어떻게 시스템과 인력을 컨트롤할 것인가에 대한 컨셉을 명확히 해야 한다. 예를 들자면 전통적인 방법으로 싱싱한 식자재를 전처리해 조리할 것인가, 아니면 외부에서 반제품 또는 완제품을 구매할 것인가 하는 판단은 주방의 전체 공간 또는 저장고, 냉동, 냉장 공간을 결정짓는 중요한 요소다. 그리고 주방 인력의 수나 능력도 주방 생산 방법을 결정짓는 주요 요인이다. 또 종업원 스케줄, 운영 시간, 인력 배치, 종업원 복리후생, 종업원 숙련도, 종업원 관리 감독 체계 등을 결정해야 한다.

식당의 성공은 고객 중심의 메뉴 선정, 목표 시장의 명확한 설정, 투입 자금의 조달 및 경영 능력, 고객 만족을 끌어낼 수 있는 프로세스의 표준화 및 운영 능력 배양 등 복합적 요소가 유기적인 조화를 이루어 하나의 통일된 컨셉을 고객에게 성공적으로 인식시키는 데에 달려 있다. 외식업은 단순한 사업이 아니다.

31. 상권 분석보다 중요한 성공을 부르는
입지에 맞는 메뉴 선정

식당을 창업하면서 상권 분석은 필수다. 내가 입점할 장소의 상권 자체를 모르고 브랜드의 힘만 믿거나 막연한 자신감으로 창업하는 것은 누구와 싸우는 줄도 모르고 전쟁터에 뛰어드는 것과 같다. 상권이란 잠재 고객과 경쟁 업소가 위치한 지리적 범위를 의미한다. 일반적으로 1차 상권은 이용 고객의 70% 내외를 포함하는 범위, 2차 상권은 이용 고객의 20% 내외, 3차 상권은 10% 내외를 포함하는 구역을 정하면 무난하다.

이러한 상권이라는 것도 식당을 내기 위해 후보지를 물색하러 다니다 보면 정확하게 판단이 잘 서지 않는 경우가 많다. 무엇보다도 후보지를 중심으로 지나다니는 인구가 얼마나 되느냐, 다시 말하면 유동 인구가 점포의 가치를 평가하는 결정적인 요인이 된다는 것을 이해하면 일은 쉽게 풀릴 수 있다.

유동 인구를 조사하는 데 있어 기준은 후보 점포의 규

모, 주변 시설의 흡인력, 주변 인구의 외식 형태, 외부 유출입 동선, 주변 지역의 지형 지세, 도로 및 교통 시설, 통행인의 성격, 상권의 규모 및 형태, 지리적 위치 등이 있다. 이를 고려해 후보 점포의 1차 상권과 2차 상권의 범위를 정한다. 식당 컨셉에 따라 다르기는 하지만, 예를 들면 걸어서 5분 정도 걸리는 약 500m 이내 구역을 1차 상권으로 정하고 걸어서 10분 사이의 500~1,000m 이내 구역을 2차 상권으로 정하는 것이다.

그리고 1차 상권 범위 안에서 후보 점포가 위치한 상권의 형태와 규모를 파악해야 하며, 그 범위 안의 거주자를 계산해 보면 대략 잠재 고객 수를 알 수 있다. 거주자 수에 대한 정보는 해당 구청이나 동사무소 등에서 확인할 수 있고, 인터넷을 통해서도 검색할 수 있다. 역세권이라면 해당 역의 하루 이용객 수를 해당 역무실에 알아보면 자세히 알 수 있다. 주 고객층이 청소년층이라면 인근의 중·고등학교들의 학생 수로 추정할 수도 있다.

이처럼 상권 조사는 그렇게 어려운 것이 아니다. 상권 내 인구수, 세대수, 가족 구성원 수, 주거 형태(단독 주택, 아파트, 복합형) 등 상권 규모를 알아보기 위해 통계 자료를 뒤져 보는 노력은 기본이다. 또 후보지에 성별,

연령별, 시간대별, 요일별 통행객 수를 관찰하고 통행객과 통행 성격, 통행객의 수준을 파악해 상권이 과연 주간 상권, 야간 상권, 고정 상권, 유동 상권 중 어떤 형태를 가질 것인지 판단해야 한다.

또 예상되는 경쟁 식당의 이용객 수, 계층, 가격대, 매장 컨셉 등을 파악하고 향후 주변 상권의 확대 또는 축소 가능성을 생각해 봐야 한다. 참고로 여성보다 남성이, 자녀가 있는 가정보다 미혼이나 신혼부부가, 일반 가정보다 맞벌이 부부가, 노년층보다는 청년층이 외식을 더 자주 한다는 것을 기억해 두자.

식당을 창업하면서 철저한 상권 조사는 실패의 리스크를 줄이는 중요한 요소임은 틀림없지만, 상권 조사를 잘했다고 해서 반드시 성공이 보장되는 것은 아니다. 내가 판매하고자 하는 메뉴가 상권 내 잠재 고객들에게 얼마의 가격에 어느 정도 상품력으로 판매될 수 있는가 하는 기본적인 척도를 가늠하기 위해 상권 조사를 하지만, 상권보다 더 중요한 것은 내가 팔고자 하는 음식이 입지하고자 하는 상권 내에서 꼭 필요한가. 이를 냉정하게 판단하는 것이 더 중요하다.

아파트와 중·고등학교가 밀접한 지역 내에 감자탕집이

없다고 감자탕집을 차리면 성공할 확률은 현저히 떨어진다. 상권 내 존재하는 고객들이 선호하고 선택할 확률이 높은, 즉 상권 내 고객이 필요할 음식과 가격인가 아닌가를 판단해야 한다. 고객이 원하는 음식을 파는 식당이 아닌, 내가 팔고자 하는 음식을 판매하면 실패는 불 보듯 뻔하다. 내 식당이 입점 지역에 꼭 필요한 식당인가를 끊임없이 질문하고 스스로 확신이 설 때 창업을 실행해야 한다.

32. 식당 창업, 눈 대신 귀로 하라

얼마 전 어느 건물에 들어갈 업종에 대한 자문을 받아 그 상권과 고객이 원하는 컨설팅을 해주었다. 컨설팅 결과, 필자의 제안보다는 결국에 직원들이 추천하는 업종으로 건물을 세팅하게 됐다. 직원들은 객관적 평가를 해서 제안하는 컨설턴트의 얘기에 귀를 기울이기보다 편하고 쉬운 의사 결정의 길을 선택한 것이다. 우스갯소리로 우리나라에서 외식업을 제일 잘 아는 사람은 자기 부인과 옆집 친구라는 말이 있듯이 자기가 듣고 싶은 얘기만 듣고 판단한다.

성공이라는 상상에 사로잡혀 남 보기에 그럴듯한 레스토랑, 카페를 하고 싶어하는 오너가 많은 것도 사실이다. 주변 상권의 주 고객이 여성과 가족 고객이라 집밥 컨셉의 한식이나 샤브 앤 샐러드바 같은 업종을 추천하면 자기 체면이 상하고 모양새가 안 좋다는 이유로 어김없이 고개를 절레절레 흔든다.

너무 쉽게 창업하는 것도 문제다. 자기의 전 재산을 올

인해 창업을 하는 것인데, 아무런 노력도 하지 않고 유행처럼 뜨고 있는 브랜드를 선택하거나 노동 강도가 낮고 상대적으로 남 보기에 좋은 카페 창업에 몰리는 것도 이 때문이다. 또한 유달리 연예인 스타 마케팅을 하는 프랜차이즈 본사 브랜드를 선택하는 일도 많다.

TV에 자주 나오는 연예인이 모델로 나오는 브랜드는 절대 망하지 않고 성공하겠지 하고 묻지 마 창업을 하지만 브랜드 주체인 해당 연예인이 대중의 지탄을 받는 사건에 연루되면 소리 없이 회사 자체가 사라지는 예가 부지기수다.

외식업과 창업 컨설팅 일을 한 지 40여 년이 되어 가면서 많은 사례를 접하고 성공과 실패를 경험했다. 실패한 일도 많았고 대박을 터뜨리기도 하였다. 한 우물만 파니 이제야 조금씩 성공의 공식도 보이고 남 앞에 겨우 설 지경에 이르렀다.

남을 가르치고 평가할 실력이 되는지 아닌지는 누구보다 본인이 더 잘 안다. 함부로 이름 빌려주고 얼굴 내세우고 더군다나 남을 평가하고 가르치려 들면 안 된다. 본인이야 이익만 챙기면 그만이지만 자기를 믿고 모든 걸 투자한 사람들에게 그러면 안 된다.

주변에 그렇게 많은 창업 컨설턴트가 있고 전문가가 여기저기 많은데도 전 세계에서 폐업률이 제일 많은 곳이 대한민국이다. 국내에서 아주 성공한 브랜드를 운영하는 오너 부부 초청으로 경영 컨설팅을 한 적이 있다. 자리에 앉고 명함을 건네고 인사를 채 나누자마자 오너 부인은 다리를 꼬고 소파 뒤로 몸을 젖힌다.

국내 대기업 기획실에 근무할 때 세계적인 경영 컨설팅 회사의 자문을 받은 적이 있는데 그 프리젠테이션에 참석한 대부분의 임원들은 회의가 끝난 후 이구동성으로 저런 얘기는 오래전부터 자기도 알고 있는 내용이라고 했다.

세 살 아이에게도 배울 게 있다고 하지 않는가. 자기 분야에서 몇십 년을 고민하고 연구하고 성공과 실패를 경험한 전문가가 새로운 시각에서 치열한 생존의 시대에서 살아남은 노하우를 강의하면 열심히 듣고 자기가 필요한 사례와 지식을 받아들이면 된다.

이 세상에 'Best'는 없다. 완벽할 만큼 완전한 것이 없다는 뜻이다. 다만 미치도록 노력해서 조금씩 더 나아지는 'Better'만 존재할 뿐이다. 진심을 다해 강의를 하고 컨설팅을 해주면 귀를 활짝 열고 먼저 들어야 한다. 자기가 말하고 싶은 얘기만 말하고 자기가 생각하고 싶은 생각만 하고 자기가 듣고 싶은 얘기만 듣는다면 성공은 보장할 수가 없다.

성공하고 싶으면 제일 먼저 경청해야 한다. 듣고 싶지 않아도 다양한 의견들을 들어야 한다. 그다음에 결정해도 늦지 않다. 경청이 곧 재산이다.

33. 특급 호텔 유명 셰프가 차린 식당인데, 왜 안 될까

음식점 경영이란 이런저런 이유로 '탈 샐러리맨'이 된 사람들의 최대의 구원책이 되어 왔다. 그럼에도 불구하고 공들여 개업해 놓고 실패하는 예도 적지 않다. 실패하는 원인은 한마디로 말하면 외식업을 너무 얕잡아 보기 때문이다.

보통 초보자가 음식점을 차리는 동기로서 공통되는 사항은 ① 다른 업종보다 간단하게 보여서, ② 이익금이 빨리 손에 들어올 것 같아서, ③ 조직 사회에서 해방되고 싶은 생각 등 세 가지다. 그리고 이 세 가지 동기는 말 그대로 실패 요인이 되기 쉽다.

샐러리맨에게 음식점은 꽤 친숙한 존재이다. 점심시간은 물론 업체와 상담 시, 퇴근길 동료와의 회식 모임 등 거의 매일 이용하는 익숙한 장소이다. 거기에서 착안해 이 정도라면 나도 할 수 있겠다고 생각하는 사람들이 많다. 또 대개의 원가율 정도는 알고 있고, 무엇보다 회사라고 하는 조직으로부터 해방되고 싶다, 자유로워지고 싶다라는 소망을 가진 사람에게 음식점 경영은 상당히 매력 있는 탈출구로 보이기 마련이다.

또한 개점만 한다면 손님은 자연히 들어오겠지 하는 낙관도 퇴직 후 창업을 꿈꾸는 사람들이 흔히 가지는 생각이다. 그러나 피를 말리는 경쟁으로 몸살을 앓고 있는 요즘 같은 시대에 음식 업계에서 그런 어리숙한 생각은 절대 통용되지 않는다.

우선, 초보자는 음식점 경영이 놓여 있는 환경과 외식업의 엄격한 현실을 냉정하게 보는 것부터 시작했으면 한다. 엄중한 경쟁에서 살아남기 위해서는 다른 가게에는 없는 부가 가치, 즉 고객에게 어필할 나만의 매력을 가지고 있지 않으면 안 된다. 재료, 조리 방법, 식기, 음식 담는 법, 서비스의 방법, 가게 분위기 설정 등 모든 것에 걸쳐 연구를 하지 않으면 안 된다. 또한 음식점은 혼자서는 운영할 수 없다는 점을 염두에 두어야 한다. 다양한 개성을 가진 조리사, 캐셔, 서비스맨 등의 내부 구성원을 자신이 조직의 리더로서 소통하며 통제해 가는 기술이 필요하다.

조리사 출신이 창업하면 성공할 확률이 높아 보이지만

꼭 그렇지만은 않다. 굳이 설명을 덧붙일 필요도 없겠지만, 조리사는 조리의 프로이다. 이 때문에 '음식의 음 자도 모르는 초보가 개업한 가게에 조리사인 내가 질 이유가 없지!'라는 의식을 갖기 쉽다.

조리의 프로라 한다면 자기가 손수 만든 요리에 자신감이 있는 것이 당연하다. 그런데 그 자신감이라는 것이 때때로 실패를 불러온다는 것이다. 조리사 출신인 경영자가 빠지기 쉬운 함정은 조리 기술로의 편향성이다. 요컨대 맛만 있으면 손님은 당연히 들어오게 마련이라는 단편적인 생각을 갖기 쉽다는 것이다. 물론, 현실적으로 맛에 대한 보장도 없으면서 가게를 여는 경우도 허다하기 때문에 요리에 자신이 있다고 하는 것은 좋은 일이다.

그 기술을 잘 활용하기만 한다면 소위 '잘나가는 음식점' 만들기는 그리 어렵지 않을 것이기 때문이다. 하지만 조리 기술만 중시하다 보면 음식점의 밸런스를 맞출 수 없어 실패하는 경우가 많다. 결국 음식에 대한 자기만의 지나친 자신감이 가게의 서비스와 분위기를 경시하기 쉽게 되기 때문이다. 고급 음식점이면 몰라도, 대중음식점이라면 서비스나 가게 분위기 등에는 그다지 큰 투자를 하지 않아도 된다고 단정 짓기 쉽기 때문이다.

그러나 요즘 같이 어딜 가든지 음식점이 넘쳐 나는 시대에는 '그냥저냥 무리 없이 먹을 만하네'라는 음식점이야 얼마든지 있다. 웬만한 기술과 독창성 없이는 요리만으로 손님을 부르는 시대는 지난 것이다. 왜냐하면 손님이 음식점을 찾는 이유는 단지 맛있는 요리를 먹기 위해서만이 아니기 때문이다. 음식을 매개체로 즐겁고 편안한 시간을 보내는 데 목적이 있는 것이다.

음식점의 가치는 상품, 서비스, 분위기 세 가지 부가 가치의 종합력으로 결정된다. 조리하는 사람은 이것을 겸허하게 인식하고 음식점의 컨셉을 잡는 것이 중요하다. 요리라는 것은 세 가지 요소 중의 하나에 지나지 않는다. 또 한 가지 잊어버려서는 안 되는 것은 음식점을 선택하는 것은 손님이라는 사실이다. 내방하는 손님은 자신이 지불하는 것만큼의 부가 가치가 있는 곳인지 아닌지가 관건이지, 조리사의 자기만족 같은 것은 손님에게 있어서는 사실 그다지 관심거리가 되지 않는다.

수십 년을 특급 호텔에서 총주방장으로 이름을 날린 유명 조리장이 퇴직해 식당을 창업해도 오래가지 않아 실패하는 경우가 많은 것도 손님이 원하는 요리를 만드는 것이 아니라 자기가 자신 있는 음식을 만들어 내기 때문이다. 명성만 듣고 찾아간 유명 셰프의 음식점이 오픈만 하면 잘 안 되는 것도 모든 의사 결정을 고객 중심으로 해야 하는데도 본인의 경험을 중심으로 운영하는 독단과 지나친 자신감이 자리하고 있기 때문임을 잊어서는 안 된다. 고객을 설득하지 못하는 음식은 외면받기 마련이다.

심지어 어떤 분식점 사장은 본인이 오이를 먹지 않는다고 김밥에 오이를 빼기도 한다. 나는 그에게 김밥의 색상 조화와 식감을 위해 오이를 넣는 것이 좋고, 본인이 오이를 싫어한다는 이유만으로 오이를 빼는 것은 아니라고 조언을 했다. 그는 손님이 김밥 맛이 이상하다고 컴플레인을 걸어오면 본인이 시식해야 하는데 그럴 경우 맛을 볼 수 없어 오이를 뺀다는 황당한 주장을 해 말문이 막힌 적이 있다.

오이를 싫어하는 고객이 있을 수 있어 오이 대신에 다른 대체 재료를 넣은 김밥도 있고 오이가 들어가는 김밥도 만들면 될 일을 모든 김밥에 오이를 뺀 메뉴를 확정하는 것을 보고 더 이상 조언을 하지 않았다.

식당으로 성공하기 위해서는 창업을 준비하는 그 순간부터 모든 의사 결정을 고객 중심으로 생각하고 실행해

야 한다. 음식의 맛, 분위기, 서비스의 3대 요소를 조화
롭게 잘 결합해 고객이 문을 나설 때 돈을 지불한 가치를
느낀다면 비로소 성공의 문턱을 넘을 수 있는 것임을 명
심하자.

34. 매뉴얼 대로 vs 감성 서비스…
두 특급 호텔의 차이

외식업은 사람 중심 사업이다. 고객이 존재하고 경쟁력 있는 음식을 만들어 내는 조리사가 있고 그것을 고객에게 가져다주는 서비스 인력이 있다. 어느 하나 소홀히 할 수 없는 음식업의 중요한 자산이다.

국내 특급 호텔의 대표격인 S호텔과 H호텔의 서비스는 같은 듯 보이지만 차이가 있다. S호텔은 국내 자본으로 만들어지고 경영도 전부 국내 인력으로 운영되는 특급 호텔로 철저한 서비스 매뉴얼에 따라 서비스한다. 고객을 만났을 때 15도의 목례 인사, 감사를 표할 때는 30도, 컴플레인이 발생해 사과할 때는 45도로 머리를 숙이고 인사한다. 어서 오십시오, 감사합니다, 안녕히 가십시오, 주문하신 ○○ 요리입니다, 맛있게 드십시오 등 서비스 매뉴얼 대로 반복적인 접객 용어만 사용한다.

반면 외국계 브랜드를 사용하고 호텔 경영진도 외국인이 파견돼 운영되고 있는 H호텔은 철저하게 감성 서비스를 지향한다. 6개월 이상 호텔에 상주하는 장기 투숙객이 밤새 감기에 걸려 아침 조식을 하러 커피숍에 들어서면 S호텔은 언제나 똑같이 "안녕하십니까, 어서 오십시오"를 외치지만 H호텔 리셉션 직원은 단골이 많이 아픈 것을 알고 어디가 아프냐 걱정하며 뜨거운 수프를 먼저 가져다 주고 호텔 내 병원으로 달려가 감기약을 가지고 온다.

비를 엄청 맞고 식당에 들어서는 고객을 본 S호텔 직원은 "안녕하십니까, 어서 오십시오"라고 인사를 건네지만 H호텔 직원은 자기가 가지고 있는 손수건을 먼저 건네며 우선 비를 닦도록 한다. 커피 한 잔을 서빙할 때도 S호텔 직원은 "실례합니다, 주문하신 커피입니다, 맛있게 드십시오"라며 매뉴얼 대로 서비스하지만 H호텔 직원은 커피 받침대를 살짝 돌려 손님 앞으로 조금 더 가깝게 밀면서 "좋은 시간 되십시오"라고 서빙한다.

커피잔을 조금 더 고객 가까이 밀면서 서비스하는 것은 고객의 편리함을 위해 더 가까이 서빙하는 직원의 배려심을 무언으로 느끼는 '휴먼 터치(Human Touch)'의 순간이 된다.

6개월이나 매일 대하는 고객이 밤새 감기로 아픈데도, 비를 잔뜩 맞고 들어오는데도 '안녕하십니까'만 외치면 고객이 감동하겠는가? 호텔이 정한 서비스 매뉴얼도 분명 중요하지만, 고객을 먼저 생각하는 마음이 들게 끊임없이 감성 서비스를 가르쳐야 한다. 고객에 대한 배려를 서비스업의 본질로 삼고 교육하는 H호텔의 감성 서비스를 대형 호텔이든 작은 식당을 운영하든 경영자는 본받아야 한다.

그러기 위해서는 직원 구성원 모두가 고객에 대한 배려심을 가질 수 있게 주인과 종업원 간에도 상호 존중이 자리 잡고 있어야 한다. 회사 경영진이 직원에게 막말을 퍼부어 회사 존립 자체가 심각한 지경에 이른 몇몇 대기업과 프랜차이즈 본사의 위기는 시사하는 바가 크다. 직원은 종이 아니다. 직원의 만족이 없으면 고객에게 제대로 된 감성 서비스를 할 수가 없다. 맨날 욕을 입에 달고 사는 주인이 잘되라고 최선을 다해 고객을 대하는 직원은 없다.

김영삼 정부에서 경호실장을 역임한 박상범 실장은 '10·26 궁정동 사태' 때 다른 경호원들과 함께 식당에서 저녁을 먹던 중 중앙정보부 직원이 쏜 총알에 4발의 관통상을 당했지만 확인 사살을 유일하게 모면해 극적으로 살아남은 인물이다. 신입 직원 시절부터 몸에 밴 겸손과

다정한 성품을 가진 박 실장은 중정을 들락거리면서도 항상 말단 경비 직원에게도 따뜻한 말을 건네고 존대어를 쓰고 인격적으로 대했다고 한다. 확인 사살을 하러 온 경비원이 박 실장을 발견하고는 차마 쏘지 못하고 바닥에다 총을 쏘고 그냥 나가는 바람에 목숨을 건진 것이다.

명함의 무게로 사람을 대하지 않고 지위가 낮은 사람에게도 항상 측은지심을 가지고 존중하며 따뜻하게 대한 그의 성품과 말 한마디가 목숨이 오가는 절박한 순간에 상대방의 마음을 움직여 죽음을 피할 수 있었던 것은 우연한 일이 아니다. 측은지심은 불쌍한 마음이 아니다. 배려하는 마음이다. 상대방의 입장에서 생각하고 상대방을 존중하며 생각하는 베풂의 마음이다.

자기 가게를 위해 하루 열두 시간씩 일하는 직원을 단지 종업원으로만 대하는 마음으로는 그들을 최고의 직원으로 만들 수 없다. 제대로 된 음식을 양심적인 가격으로 만들어 내고 주인이 잘되기만 바라는 마음으로 자기 매장처럼 최선을 다해 고객을 대하는 직원이 존재하는 한 그 가게는 망할 수가 없다. 가게를 성공시키려면 최일선에서 고객을 대하고 있는 직원의 입장에 서서 말 한마디도 다정하게 건네고 배려해야 한다. 그러면 그 마음이 고스란히 고객에게 전달된다.

내가 하기 싫은 건 남도 하기 싫고 내가 듣기 싫은 건 남도 듣기 싫다. 인적 서비스에 의해 모든 것이 이루어지는 서비스업의 제일 중요한 자산인 직원의 만족 없인 성공할 수가 없다. 관리하려 들지 말고 리더해라. 관리는 매뉴얼이고 리더는 감성이다.

35. 명퇴 교수가 차린 분식집이 대박 난 비결

코로나19로 온 나라가 난리다. 사람이 모이지 않고 심리적 공포까지 겹쳐 대부분의 식당 매출이 80% 이상 격감해 앞이 보이지 않을 정도다. 얼마 전 광교 아이플렉스 1층에서 조그마한 김밥집을 하는 대학 동문을 만났다. 그는 1년 전만 해도 대학교수였으나 25년간 다니던 대학에서 명예 퇴직하고 부인과 함께 김밥집을 차렸다.

김밥, 떡볶이, 라면 등을 파는 10평 남짓한 그의 가게는 이 불황에도 하루 매출이 150만 원을 넘나드는 유명 분식집이 돼 있었다. 그는 대학교수라는 직위를 내려놓고 185㎝에 100㎏이 넘는 거구를 끌고 그 좁디좁은 주방에서 부인과 함께 직접 김밥을 말고 음식을 만든다.

그는 처음 김밥집을 시작하면서 스스로 정한 원칙대로 운영했다. 음식은 직접 부부가 만들고 남의 손을 빌리지 않았다. 손님에게 판매하기 전 음식의 맛은 물론이고 가격 대비 품질이 나쁘면 판매하지 않았다. 아무리 바빠도 주문이 들어오면 즉석에서 김밥을 말았다. 김밥 기계로 김밥을 만들면 밥이 뭉쳐져 맛이 없으므로 대량 주문이 들어와도 손으로 김밥을 말아 밥알이 고슬고슬하게 맛을 유지할 수 있도록 했다. 공깃밥, 음료수 등 추가 주문이 들어 오면 무료로 서비스했다. 밥을 비빌 때 어떻게 하면 식감이 좋은 상태를 유지하는지 끊임없이 연구해 최상의 상태로 음식을 손님상에 낼 수 있는가를 연구하고 실천했다. 또 건물 내 일하는 경비원들에게는 거의 매일 김밥을 무료로 제공했다. 그런 작은 선행이 가게 이미지를 좋게 만들고 지역에서 호평이 이어졌다. 그는 앞으로도 '내 가게는 내가 직접 음식을 만들어 제공한다'는 철칙을 지키겠다고 했다.

이수역 10번 출구에서 횟집을 운영하는 배 사장은 한때 가맹점이 150개가 넘는 대형 프랜차이즈 회장이었다. 젊은 날 다른 사업에 손을 댄 것이 실패해 지금은 자영업의 길을 걷고 있지만, 횟집 역시 본인이 직접 요리하고 서빙을 하면서 경영하고 있다. 그는 가게 성공 요인으로 절박함을 꼽았다.

새벽부터 밤 11시까지 부인과 함께 가게를 지키며 음식을 만들었다. 계절마다 신선한 제철 식재료를 활용한 프로모션 메뉴도 개발했다. 예약 손님이나 단체명을 소주병에 새겨 넣는 등 작은 것 하나하나 고객 만족을 위해 뛰어다니다 보니 유명한 횟집이 돼 있었다고 한다. 국내 특1급 호텔 식음료 총책임자를 지낸 이력이 있지만 모든 걸 내려놓고 오직 고객만 바라보고 매장을 운영해 성공의 반열에 올랐다.

치킨 프랜차이즈를 운영하는 지인과 국내 프랜차이즈 회사가 제2 브랜드를 만들어 성공한 예가 왜 드문지 토론한 적이 있다. 그 역시 300여 개가 넘는 치킨 가맹점을 거느린 성공한 사업가이지만 그간 몇 번의 실패를 경험했다. 실패 이유가 무엇인가 물어보니 1초도 망설임 없이 사람이라고 했다. 이런 사실을 몰랐을 때는 조직과 자금에 완벽한 기획으로 1호 직영점을 오픈해 운영했지만 뜨기도 전에 무너졌다는 것이다.

지금의 브랜드가 성공한 것은 처음부터 직접 주방에 들어가 품질 개선에 주력하고 고객 응대를 했기 때문이라고 했다. 그런데 이미 조직이 커진 상태에서 제2 브랜드를 만들면 그때는 주방에 들어가 직접 일을 할 수 없는 노릇. 직원을 파견해 운영해 봤자 그 직원이 주인 마음 같지 않고, 성공해야 한다는 절박함이 없으니 제2 브랜드가 잘될 리 없다는 이야기였다.

앞이 보이지 않는 불안의 시대에 너도나도 부업거리를 찾고, 본인이 매장에 있지 않으면서 직원을 두고 원격 운영을 하는 오토 매장을 운영해 보려는 이들이 많다. 언젠가 대기업에 다니는 후배가 찾아와 1억 원을 투자해 월 500만 원 정도를 벌 수 있는 오토 매장을 찾아달라기에 크게 야단을 친 적이 있다. 아무것도 안 하고 1억 원을 투자해 월 500만 원을 가져가는 외식 매장은 절대로 있을 수 없고, 그걸 바라서도 안 되며 덜컹 꼬임에 빠져 프랜차이즈 계약을 해서도 안 된다고 타일렀다.

식당은 정말 힘든 사업이다. 고객의 요구가 시시각각 변하고, 하루가 멀다 하고 자기 가게 앞에 유사 식당이 문을 여는 무한 경쟁 시대다. 신선한 식재료 사입부터 40도가 넘는 주방에서 직접 음식을 만들고 손님에게 제공하기까지 죽을 힘을 다해 고객의 만족을 끌어내려는 절박함이 없으면 오픈도 하기 전에 폐업의 그림자에서 벗어날 수 없다.

비단 식당뿐만 아니라 세상 사는 이치가 다 그러하다. 나에게도 편한 길이면 남에게도 편한 길인 것이다. 성공하고 싶으면 직접 현장으로 들어가야 한다. 언제까지 환경만 탓하고 행운만 기다릴 순 없지 않은가.

36. 신규 창업 90% 배달 식당, 제2 '대만 카스테라'되나

코로나로 인해 국내 모든 자영업자가 고통을 받고 있다. 아예 외출을 안 하니 점심시간에도 식당엔 손님이 없고 대부분 배달시켜 먹는다. 이 불황을 돌파하는 길은 배달밖에 없는지 배달업이 성업 중이다. 매장을 가지고 있으면서 어려움을 극복하기 위해 평소 자신 있는 메뉴를 배달하는 식당은 안심할 수 있으나, 음식을 만드는 곳이 어딘지도 모르는 엄청난 수의 간이 주방 업소에 대해서는 심각한 위생 문제가 대두되고 있다. 아마 관계 당국에서 위생 점검을 나가면 입을 다물지 못할 것이다. 심지어 위생 시설도 전혀 갖추어 놓지 않고 자기 집에서 음식을 만들어 배달하는가 하면, 치솟은 배달료를 감당하기 위해 저질 식재료를 사용하기도 한다.

대부분 배달 전문 업체의 배달비가 높아 음식값의 20%가 배달료로 나가다 보니 세후 15% 정도의 이익을 내는 식당 업체에선 손익을 맞출 수가 없다. 손해는 볼 수 없으니 용량을 줄이거나 품질을 떨어뜨리는 악순환이 이어지고 있다. 대부분의 배달 음식이 일회용 용기에 담아서 나가니 환경 문제 또한 대두되고 있다. 한 개라도 더 배달해야 수익이 늘어나니 일부 라이더는 목숨을 걸고 오토바이를 몰고 다닌다.

삼성에버랜드에 근무할 때 자매결연을 맺은 디즈니랜드 사장실을 예방한 적이 있다. 사장실 벽면에 큰 글씨로 'SCSE'라는 글자가 적혀 있어 무슨 의미냐고 물었다. 디즈니랜드의 주 고객은 어린이라 회사의 사훈을 SCSE라 정했다고 한다. 의사 결정을 내려야 할 중요한 순간이 오면 고객의 '안전(Safety)', 고객을 위한 위생적 '환경 제공(Cleanliness)', 고객에 대한 '무한 서비스(Service)', 마지막에 기업의 이익 실현을 위한 '효율 경영(Efficiency)'의 순서에 따라 디즈니랜드를 운영한다는 설명이었다.

국내에도 테마파크가 많지만 대부분이 효율 경영을 통한 이익 실현을 최우선 경영 목표로 삼을 것이다. 그다음에 서비스, 위생, 안전 순으로 경영하지 않나 여겨진다. 고객이 놀이 기구에 갇혀 공중에 매달려 있고, 어떤 워터파크에서는 천장에서 조명 받침대가 떨어져 물놀이하는 아이를 덮쳐 사망 사고까지 난 적이 있다. 테마파크의 주 고객이 어린이임에도 안전과 위생보다는 이익 실현에 우선 과제를 두고 있으니 사고가 끊이질 않는다. SCSE가 아닌 ESCS로 거꾸로 경영을 하는 것이다.

사업을 하는 목적이 이익 실현임엔 틀림없는 사실이지만, 모든 사업에는 업의 본질이 있다. 업의 본질을 망각하고 사업을 하면 지속 가능한 성공을 보장할 수가 없다. 비단 사업뿐만 아니라 모든 일에도 반드시 실천하고 지켜야 할 본질이 있다.

음식점의 본질은 깨끗하고 맛있는 음식을 고객에게 제공하는 것이다. 식당업에 있어 위생과 안전은 타협의 대상이 아니다. 대충대충 넘어갈 일이 아닌 목숨 걸고 사수해야 할 절대적 가치이다. 기본에 충실하고 업의 본질을 지키려 하고 누가 뭐래도 위생 상태를 엄수해야 한다. 메뉴 하나하나 본인의 노력으로 개발하지 않으면 절대로 성공할 수가 없다. 신규 창업자 열 명 중 아홉 명이 배달 식당을 차린다고 한다. 제2의 대만 카스테라가 되지 말라는 법이 없으니 자중하면 좋겠다.

2평짜리 닭꼬치집을 차리든, 배달 전문 식당을 차리든 본질을 지키는 기본 자세를 갖추고 창업해야 한다. 효율과 이익보다 위생과 서비스, 정성스런 맛을 유지하기 위한 노력에 집중하면 이익은 저절로 그다음에 따라서 온다. 디즈니랜드의 SCSE 사훈이 주는 의미를 생각해 볼 때이다.

37. 식당 종업원 채용,
1개월 유예 기간 둬야 하는 이유

대구에 가면 가끔 들리는 음식점이 있다. 안동 갈비를
전문으로 하는 식당인데 매일매일 들어오는 신선한 고기
를 직접 개발한 양념에 재워 지역에서뿐 아니라 멀리서도
사람들이 찾아오는 맛집으로 이미 소문이 자자하다. 60
대 부부와 아들이 운영하며 코로나 사태에도 항상 손님이
많다. 한번은 아버지가 내 자리에 와 아들이 대구 명문대
를 나와 직장에 다니고 있었지만, 가업을 잇게 하려고 일
을 가르치고 있는데 어떻게 생각하느냐고 물었다. 가끔
들러 식사를 하는 동안 아들이 손님에게 대하는 접객 태
도가 눈에 거슬린 적이 한두 번이 아녔기에 단호하게 내
의견을 말했다.

서비스업은 불특정 다수를 대하는 공간이라 고객을 배
려하는 마음을 가지고 있어야 하며 본인이 하고 싶고 즐
겁게 일을 해야 그 마음이 고스란히 고객에게 전달된다.
그런데 아들의 행동뿐 아니라 표정 어느 곳에도 하고 싶

지 않은 일을 의무적으로 하는 모습이 역력하므로 식당 일을 가업으로 물려주면 안 된다고 했다. 아버지도 이미 여러 사람으로부터 아들이 서비스업에 맞지 않는다는 충고를 들은 터였다.

서비스업은 하고 싶은 마음으로 일해야 한다. 아무리 유명하고 화려한 식당이라도 직원 개개인이 월급쟁이 생각으로 가득 차 있으면 오래가지 못한다. 실력이 없는 것은 가르치면 되지만 심성이 안 되어 있는 사람은 가르쳐서는 절대 안 된다.

얼마 전 한 지인은 코로나로 영업이 너무 어려워 데리고 있던 아르바이트생에게 영업이 호전되면 다시 부를 테니 당분간 좀 쉬면 좋겠다고 이야기했다. 그랬더니 20대 초반의 아르바이트생이 코로나가 장기화되어 가게가 망했으면 좋겠다는 문자를 보내 멘붕이 왔다고 했다. 자신이 일하던 직장의 대표에게 코로나로 망하라는 문자를 보내는 그 아르바이트생은 일하는 와중에도 항상 불만에 차 있었으며 동료 직원, 심지어 어머니 같은 직원과 싸우곤 해 힘들었다는 것이다. 그 얘기를 듣고 심성이 나쁜 사람은 가르친다고 되는 일이 아니라는 확신을 또 가지게 됐다.

식당일은 흔히 막장에 비교된다. 그만큼 힘들다는 말이다. 온종일 서 있으면서 서빙을 하고 정상이 아닌 일부 손님의 갑질 피해를 받는 감정 노동의 정점에 있는 곳이 식당이다. 그런 열악한 환경에서 항상 미소를 띠고 친절하게 고객을 맞이하는 것은 불가능할지도 모른다. 그런 직원의 어려움을 어루만져 주고 다독이면서 운영을 해 나가는 몫은 주인이 해야 할 일이지만 말처럼 쉽지가 않다.

어렵게 일구어 놓은 식당을 명문대를 나온 아들에게 물려주고 가업을 잇게 하겠다는 생각 자체는 존중받아야 할 일이지만 식당 일 자체가 하기 싫은 아들에게는 고통일 따름이다. 본인이 전혀 즐겁지가 않고 고통스러운 일을 하고 있으니 손님 눈에도 항상 불만에 가득 차 보이고 불친절하게 느끼는 것은 당연한 일이다.

20대 초반의 알바생을 탓하기 전에, 그런 사람을 몇 달씩이나 고용해 일을 시킨 지인의 잘못이 크다. 안 되는 사람은 안 된다. 심성이 되지 않는 사람은 아무리 가르쳐도 헛수고다. 이 직장, 저 직장 옮겨 다니는 직원을 임금이 싸다고 급하게 채용하면 결국 화를 입게 되어 있다.

면접을 보면서 몇 가지 질문만 던져 봐도 기본 심성은 알 수 있다. 사람을 채용할 때 1개월 동안은 유예 기간을 두고 먼저 일하는 것을 본 후에 정식 고용 계약을 맺어야 한다. 그래야 사람에 대한 리스크를 줄일 수 있다.

깨끗한 환경에서 맛있는 음식을 친절히 손님에게 제공하는 것이 식당업의 기본이기에 고객의 최일선 접점에 있는 직원을 인격적으로 대하고 처우를 개선하고 바른 인성을 지속할 수 있도록 교육을 철저히 하는 식당이 오래갈 수밖에 없다.

서비스업은 사람이 전부이기에 채용 과정에서부터 심성이 안 되어 있는 사람을 채용하면 돌이킬 수 없는 혼란에 빠지게 되어 있고 근무 분위기도 안 좋게 전파된다. 월급이 적은 직원을 최우선으로 뽑으려고 하지 말고 바른 마음가짐을 가진 직원을 채용하려고 노력해야 한다.

38. 대기업이 운영하던 한식 뷔페가
모두 사라진 이유

　창업 컨설팅을 하다 보니 주위에 퇴직한 선후배, 친구들이 많이 찾아와 자문을 구한다. 얼마 전에는 대기업에서 임원으로 퇴직한 친구가 찾아와 아직 나이가 있는데 뭐라도 해야 한다며 대박 아이템 있으면 추천을 해달라고 했다. 나는 그 친구에게 대박 아이템이라는 것은 존재하지 않는다고 얘기해 주며 식당을 하고 싶으면 20년 이상 한 자리에서 손님들로부터 사랑을 받고 있는 지인이 운영하는 한 식당을 소개해 줄 테니 주방에 들어가 6개월만 우선 일해 보라고 권했다.

　20년 이상 한결같이 문만 열면 줄을 서서 먹는 식당인데도 주인 부부는 매일 새벽에 출근해 그날 판매할 모든 반찬을 직접 준비하고, 제철 식재료를 이용한 메뉴를 개발하기 위해 온 힘을 쏟는다는 것을 알고 있었기에 그런 현장에 들어가 직접 고객을 위해 어떤 마음으로 어떤 노력을 하는지 몸소 경험하는 것이 우선이라 생각해 조언하였다.

나는 대박이란 단어를 좋아하지 않는다. TV 예능 프로에 나온 연예인은 조금만 맛있거나 조금만 노래를 잘하는 모습을 보면 연일 대박을 외치며 호들갑을 떤다. 요즘 열풍이 몰아치고 있는 트로트 경연 프로에 나온 가수들은 하나같이 대부, 전설, 레전드로 불리고 심지어는 신이 낳은 목소리라고까지 하고, 언론도 그 호들갑에 가세한다.

외식 업계도 조금만 유행을 하면 TV에 반짝 아이템 브랜드 광고가 뒤덮고, 불나방처럼 너도나도 유행 아이템 창업을 하며, 심지어는 단 몇 개월 만에 수십 개의 유사체가 난립한다. 영원할 것 같던 그 유행 아이템도 길어야 1년을 넘기지 못하고 시장에서 어느새 사라져 수억을 투자한 초보 운영자의 폐업이 줄을 잇는다. 매년 이런 피해가 속출하는 것은 외식업의 본질을 모르기 때문이다.

현금 회전율이 높으니 대기업도 너나 할 것 없이 외식시장에 뛰어들고 있다. 건설 회사가 식당을 열고 10대 재벌 그룹이 순두붓집을 오픈한다. 하지만 대기업이 외식업에 진출해 성공한 예를 본 적이 없다. 몇 해 전 한식 뷔페가 유행하더니 많은 대기업이 유사 업종과 브랜드로 한식 뷔페 열풍이 불었다. 하지만 지금은 전부 사라졌고 일부는 매각 절차를 밟고 있다.

외식업은 가심비를 중시하는 업종인데도 대기업은 이익을 남길 목적으로만 접근하기 때문에 고객의 마음을 움직일 수가 없고 결국 실패한다. 외식업은 이익의 대상이 되어서는 안 된다.

경리 출신 임원이 음식 사업 운영본부장이 돼 매주 점장들을 모아 놓고 끊임없이 식재료비를 얼마 줄였나 닦달하니 그 재료비를 써서 제대로 된 음식이 나올 리가 만무하다. 재료비는 더 사용해 고객 만족을 끌어내고 시스템을 정립해 인건비를 줄이는 전략으로 메뉴를 개발해야 하는데도 재료비와 인건비를 별도 분리해 손익 지표에만 매달리다 보니 고객의 재방문이 이루어질 리가 없어 결국 적자에 허덕이다 문을 닫게 되는 것이다.

프랜차이즈 사업을 해보면 신규 창업자가 찾아와 제일 먼저 하는 질문이 열이면 열 식재료 비율이 얼마고 수익률이 얼마인지다. 이익률이 중요한 게 아니라 이익금이 중요하고 수익률이 중요한 게 아니고 투자 회수 기간이 중요한데도 끊임없이 매출 대비 식재료 비율과 수익률이 얼마인지를 묻는다.

지난 추석에 KBS 2TV를 통해 15년 만에 나훈아의 대한민국 어게인이라는 콘서트를 봤다. 74살이라는 나이에도 불구하고 2시간 30분 동안 29개 곡을 부르며 열정적으로 무대를 휘어잡는 모습에 감동을 받았다. 나훈아가 공연을 마치고 인터뷰를 한 말이 기억에 남는다.

"연습만이 살길이고 연습만이 특별한 것을 만든다."

호텔에 근무할 때 나훈아, 조용필을 비롯한 수많은 가수의 디너쇼를 진행한 적이 있다. 나훈아는 그때에도 2시간짜리 디너쇼를 하기 위해 3일 전부터 무대 설치 전 과정에 참여하고 리허설을 준비했다. 조용필 역시 혼신의 힘을 다해 디너쇼 앵콜곡까지 부르고 무대 뒤로 가 물도 마시지도 못한 채 바로 쓰러지는 모습을 본 적이 있다.

최고의 가수는 그냥 되는 것이 아니라는 것을 느끼게 한 장면이다. 이번에도 나훈아는 8개월가량 시나리오를 쓰고 조명 장치 하나하나 깨알같이 노트에 기록해 가며 준비를 해 스스로도 후회하지 않는 공연을 만들었다.

본인은 어떠한 노력을 안 하면서 대박 아이템을 찾아서는 안 된다. 그런 자세로는 대박 아이템을 줘도 금방 문을 닫고 만다. 우연히 성공하는 일은 절대로 있을 수 없다. 많은 예비 창업자를 만나 보면 이미 본인이 전문가가 되어 있는 경우가 많았다.

절대 미각의 소유자가 아닌 사람이 없고 외식업은 먹고 살 게 없으니 그냥 하면 되는 업종이라 여기고 달려든다. 창업하면 3년 이내 폐업할 확률이 50%가 넘고 경제 활동 인구 60명당 한 명이 식당을 하는, 이 절대적 창업 정글에 뛰어들면서 너무나 쉽게 생각하고 안이한 마음이다.

40년 이상 맛집으로 성업 중인 어느 중국집 사장은 간짜장 장맛을 더 맛있게 내기 위해 끊임없이 연구해 결국 토란을 삶아서 으깨어 춘장에 넣고 볶을 때 맛있는 장맛을 낸다는 것을 발견하고 행복한 웃음을 짓는다. 54년 동안 수천 번의 공연을 한 나훈아는 장장 8개월간 모든 것을 쏟아 부어 한 편의 공연을 준비한다.

작은 디테일의 노력이 모이고 모여 대박집이 탄생하는 것임을 알아야 한다. 남하고 똑같이 하면서 성공을 바랄 수는 없다. 죽을 힘을 다해도 살아남기 어려운 창업 시장에서 연예인이 모델이라고, TV만 틀면 나오는 유명인이 사장이라고 덜렁 전 재산을 투자해서야 되겠는가. 성공은 명성으로 보장되지 않는다. 오직 노력만이 특별한 것을 만든다.

39. 2만 원짜리 음식이 있느냐며
놀라워 한 호텔 회장

코로나로 인해 관광 업계의 불황이 장기화되고 있다. 호텔 업계도 예외가 아니다. 국내 특급 호텔은 예전에는 상상도 하지 못했던 데이 유즈(day-use, 대실 판매) 영업으로 10만 원 이하로 객실을 판매하고 있으며, 심지어는 호텔 뷔페 음식을 배달하고 있는 실정이다.

우리나라는 1889년 대불호텔이 최초로 오픈한 지 130여 년이 흐른 지금 전국적으로 약 450개의 호텔과 45,000실의 객실을 보유한 명실상부 호텔 강국으로 발돋움했다. 하지만 코로나의 직격탄을 맞아 지금은 대부분의 호텔이 끝없는 수렁으로 빠져들고 있다.

88서울올림픽을 전후해 국내에는 서울을 중심으로 국제적 수준의 외국계 체인과 대기업 소유의 특급 호텔이 대거 오픈을 했다. 호텔의 주 이용객은 외국인이나 일부 특권층 사람이 대부분이었다. 일반인이 호텔을 이용하는 것은 극히 드물었지만, 2000년대 이후에는 호텔 이용객의 평준화가 이루어졌다.

그런데도 관광호텔 등급 심사 기준에 맞춰 만들어진 한식당, 중식당, 일식당, 양식당, 뷔페식당은 약속이라도 한 듯 한 끼에 10만 원을 훌쩍 넘는 가격을 책정해 운영하고 있다. 호텔 문만 나서면 주위에 1~2만 원대 가성비 좋은 다양한 형태의 식당이 존재하는 상황이니 손님이 있을 리 없다. 불황의 늪에서 헤어 나오지 못하는 것은 어쩌면 당연하다.

얼마 전 서울을 비롯해 전국적으로 특급 호텔을 운영 중인 오너의 요청으로 매년 적자에 허덕이다 못해 문을 닫을 지경에 이른 호텔 식음 부분의 경영 컨설팅 회의를 한 적이 있다. 코로나의 영향으로 호텔 식음 매장의 매출 감소는 이해하겠는데 코로나 이전에도 호텔 식음 부문은 적자여서 그 원인을 모르겠다는 얘기를 했다.

90년대 이전 국내 외식 업계는 상업 공간의 개발이 활발하지도 못했다. 특히 일반 대중이 이용할 수 있는 다양한 콘텐츠로 무장한 식당이 많지 않았기에 중요한 가족 모임이나 접대를 해야 할 장소로 비싼 가격을 지불해서라도 호텔 레스토랑을 이용했다. 글로벌 시대에는 전 세계 유명 맛집이 뛰어난 맛과 저렴한 가격으로 호텔 못지않은 훌륭한 시설을 갖추고 영업을 하기 때문에 호텔은 식음 매출이 타격을 받을 수밖에 없다. 무엇보다 118,000원대의 가격으로는 2만 원대로 가성비를 추구하는 일반 식당을 이길 수 없다고 조언했다.

회장은 놀랍다는 표정을 지으며 어떻게 2만 원대 음식이 있냐고 반문해 내가 더 놀란 적이 있다. 시장이 변하고 환경이 변하고 고객의 이용 패턴이 변하는데도 고객이 원하는 상품을 팔지 않고 자기가 팔고 싶은 상품만을 고집하면서 치열한 경쟁 구도 속에서 살아남겠다고 하는 자체가 놀라웠고, 그런 의식을 지니고 있으니 망할 수밖에 없지 않나 하는 생각이 들었다.

일반 식당은 주차도 불편하고 시설도 떨어지지만, 호텔은 일단 이용하기 편리한 곳에 있고 주차 시설 자체가 훌륭해 이용 메리트가 높다. 또한 인테리어를 비롯한 모든 시설이 뛰어나며 우수한 인력을 보유하고 있다.

국내 특급 호텔의 매출 구조를 보면 객실 비중이 전체 매출에서 약 60% 이상을 차지하고 있다. 코로나와 같은 불가항력적 환경이 도래해 객실 이용객이 줄면 곧바로 부도 위기에 처한다. 호텔 레스토랑도 객실 이용객 의존도가 높기 때문에 덩달아 매출이 격감한다.

호텔 영업 구조를 식음 매출 중심으로 전환해야 한다. 10만 원대 음식을 파는 호텔 부속 시설로서의 식음이 아니라 이용 고객의 확장성을 염두에 둔 외식 공간으로 영업 방향을 틀어야 한다. 필요하다면 백화점 식당가처럼 외부 유명 식당도 유치해 수수료 임대 매장으로 전환하여야 한다. 여러 개의 작은 식당으로 구색을 갖출 게 아니라 점심 1만 원대, 저녁에도 3만 원을 초과하지 않으면서 다양한 이용 동기를 충족시켜 줄 수 있는 대형 매장 중심으로 시설 구성을 해야 한다.

"죽는 것은 변화하지 않는 재미없는 공간이며, 소비자를 끌어올 수 있는 공간의 혁명적 변신이 절실하다"는 서울대 소비자학과 김난도 교수의 말처럼 호텔도 이제는 공간의 변신을 해야 할 때가 온 것이다.

언제까지 10만 원대 뷔페를 팔고 20만 원대 일식 코스를 팔면서 호텔을 운영할 것인가? 아마 조금만 더 있으면 호텔의 최대 경쟁자는 편의점이 되는 시대가 올 것이다. 아니, 이미 오고 있다. 2만 원짜리 음식이 있느냐며 놀라워하는 호텔 오너 자신이 문제인데도 80년대 호텔 레스토랑을 고집하며 '왜 장사가 안되지'라고만 외친다.

호텔 자체 앱을 만들어 호텔 내 모든 음식을 배달하고,

2만 원대 뷔페를 만들어 호텔 내 식당을 마케팅이 필요 없는 공간으로 만드는 그런 의사 결정을 내려야 한다. 내가 원하는 사업을 하지 말고 고객이 원하는 사업을 해야 한다. 김밥을 팔아도, 떡볶이를 팔아도 모든 의사 결정 초점은 항상 고객에게 맞춰져 있어야 한다. 그 길만이 살 길이다. 폼 잡을 때가 아니다.

식당창업 절대로 하지마라

1판 1쇄 발행 2023년 07월 01일

지은이 유승용, 이준혁
펴낸이 정원우

기획총괄 제갈승현
디자인 조효빈
교정교열 김태경
펴낸곳 어깨 위 망원경

출판등록 2021년 7월 6일 (제2021-00220호)
주소 서울시 강남구 강남대로 118길 24 3층
이메일 tele.director@egowriting.com